D0589724

Marie
prières

Marie
prières

Textes choisis et présentés
par Jean-Pierre Dubois-Dumée

prier
DESCLÉE DE BROUWER

© Desclées de Brouwer, 1987
76 *bis*, rue des Saints-Pères 75007 Paris
ISBN : 2-220-02652-3

Les prières à Marie sont innombrables. Certaines, avec le temps, se sont fanées. D'autres ont admirablement résisté. D'autres enfin continuent de jaillir du cœur des hommes et se multiplient sans fin. Un trésor incomparable.

Ce trésor, je l'ai fouillé pour la revue Prier *d'où sont tirés beaucoup de textes. Je l'ai partagé et prié avec des amis. J'en ai tiré ce petit recueil. Est-ce le meilleur choix ? Je ne sais pas. On pourra regretter l'absence de telle prière qu'on aime bien, ou la présence de telle autre qui, à certains, paraîtra pauvre. Tout choix est discutable, forcément personnel. Du moins est-ce ici le choix de mon cœur.*

Car j'aime Marie. Et Marie, c'est le cœur, justement, la tendresse, la miséricorde, l'accueil, l'oubli de soi, la fidélité. Marie, c'est le Fiat et le Magnificat, le oui et le merci. Marie, c'est l'héritage et la nouveauté. Marie, c'est l'avent de l'Eglise et la prière assidue de l'Eglise.

Peu m'importent les ornements dont, parfois, on l'affuble et l'accable. Les prières que j'ai choisies, ce sont des prières dont j'ai le sentiment que je peux les prier avec elle, « l'humble servante du Seigneur ».

Car Marie est notre chemin vers son Fils. Elle n'existe que pour lui. Pour le faire « apparaître ».

*Marie, c'est la transparence. Heureux les cœurs purs !
Marie, ce sont les béatitudes, toutes les béatitudes,
vécues.*

*On ne trouvera donc pas ici des prières tapageuses,
ni impérieuses, ni langoureuses, ni doucereuses. Seulement des prières de cœur, des prières de cœur à cœur.*

*Les unes sont anciennes, les autres contemporaines ;
les unes d'Orient, les autres d'Occident. Les unes sont
des louanges et les autres des appels. Mais, toutes, vous
pouvez les prendre pour composer votre propre bou-
quet, selon les jours et selon les humeurs, selon les
sécheresses et selon les élans, selon les détresses et selon
les espérances.*

*Ces prières ont été regroupées en séquences. Ces clas-
sements ne correspondent pas à un ordre chronologi-
que ou à des genres littéraires, mais à des thèmes qui
caractérisent Marie. Ils ne sont d'ailleurs pas des cloi-
sons étanches. Les mêmes mots reviennent dans diverses
séquences, comme reviennent, dans une symphonie, les
mêmes thèmes fondamentaux. Il y a des accents, certes, mais on ne peut pas toujours séparer l'inquiétude
et la confiance, l'appel au secours et l'action de grâces.
Tout se tient.*

*Quant aux prières elles-mêmes, elles portent rarement
un titre à l'origine ; ici on en a donné un à chacune,
pour faciliter le repérage, certes, mais aussi pour qu'on
puisse, avec les titres seulement, composer une sorte de
grande prière litanique.*

*Afin que personne ne soit gêné par le poids de com-
mentaires, les prières choisies sont présentées sans
notes, sans références. Les mots difficiles ou qui ont*

changé de sens ont été évités, de même que tout ce qui pourrait alourdir ou arrêter le mouvement du cœur.

Mais, comme il fallait bien, parfois, donner des renseignements, signaler une origine, chaque séquence est assortie d'une présentation à part, avec les noms, les dates, diverses indications d'ordre biographique ou spirituel, quand c'est nécessaire. Vous pourrez ainsi savoir avec qui vous allez prier (ou avec qui vous avez prié), non pas par curiosité, mais pour connaître mieux vos compagnons de prière. Et quels compagnons ! Cyrille d'Alexandrie, Grégoire de Narek, François d'Assise, Anselme de Cantorbéry, Bernard de Clairvaux, François de Sales, mais aussi des contemporains, des religieux et des laïcs, des mystiques et des poètes, des célébrités et des inconnus, Jean-Paul II et de simples fidèles. Leurs prières sont les plus beaux cadeaux qu'on puisse faire.

Mais ces cadeaux, il ne faut pas les enfermer comme des objets précieux. Ce sont des invitations à inventer votre propre prière, à votre manière. Continuez la litanie. Introduisez vos appels. Chantez votre joie. Les plus belles prières, ce sont les vôtres.

Qui est Marie ?

Pour bien prier Marie, il faut bien la connaître.

Or tout ce que nous savons de certain sur elle, nous le savons par les évangiles, et c'est fort peu.

Une étonnante absence ! Dans une biographie moderne, on aurait parlé davantage de la mère.

Dans l'évangile de Marc, c'est à peine si on l'entre-voit au début de la mission de Jésus — et pour se faire rabrouer par lui alors qu'elle le cherchait : « Qui est ma mère ? »

De même chez Matthieu. Pour le reste, à peine une trace.

Luc, peut-être parce qu'il l'a connue, raconte au contraire quelques épisodes de sa vie : l'annonciation, la visitation, le pèlerinage à Jérusalem. On ne la voit plus guère ensuite, mais elle tient assez de place pour qu'on ait pu appeler Luc le « peintre de Marie ». Des icônes, par la suite, le représenteront dans ce rôle.

Jean n'est pas bavard. Du moins nous montre-t-il Marie dans deux moments essentiels dont les autres évangélistes n'ont pas parlé : à Cana, où elle intervient auprès de son Fils pour le vin ; et au Calvaire, où Jésus lui confie sa mère.

On sait, par les Actes des Apôtres, qu'elle se trouvait dans la chambre haute après l'Ascension, priant avec les disciples, et puis c'est tout. Paul, dans ses lettres, ne parlera qu'une fois de « Jésus, né d'une femme ». Son nom n'est même pas prononcé.

Quant à sa voix, c'est à peine si on l'entend dans des interventions toujours brèves. Sept fois, dit Bernardin de Sienne. Avec l'Ange, pour dire : « Comment cela pourrait-il se faire ? » et « Voici la servante du Seigneur ». Avec Elisabeth, d'abord pour la saluer et ensuite pour la louer, et c'est le Magnificat. Avec son Fils, pour dire, dans le Temple : « Pourquoi nous as-tu fait cela ? » Et aux noces de Cana pour signaler : « Ils n'ont plus de vin » ; aux serviteurs elle dira encore : « Faites tout ce qu'il vous dira. »

On ne saurait minimiser l'importance de telle ou telle de ces paroles, telle ou telle de ces interventions, mais, finalement, pour trente ans d'existence aux côtés de son Fils et trois ans d'une aventure bouleversante, c'est bien peu ! Certes, par la suite, beaucoup d'histoires seront racontées sur son compte dans les évangiles apocryphes, au fur et à mesure qu'on s'interrogeait sur son rôle mystérieux et surtout sur sa maternité divine ; mais ce ne sont guère que des légendes.

Où donc est-elle née ? Comment vivait-elle à Nazareth ? Suivait-elle Jésus au temps de sa prédiction ? Etait-elle à Capharnaüm ? Où se trouvait-elle le Jeudi saint ? Etait-elle à Gethsémani ? A-t-elle suivi le chemin de la croix ? Péguy l'a montrée qui, dans les ruelles de Jérusalem, suivait Jésus en pleurant ; mais ce n'est qu'une hypothèse de poète, si belle soit-elle.

Que devient-elle après la Pentecôte ? « Elle a disparu

de l'histoire de l'Eglise dont elle est l'âme », disait le Père Lyonnet. A-t-elle vraiment vécu à Ephèse ? Est-elle revenue à Jérusalem, où l'on croit avoir retrouvé son tombeau ? Pourquoi ce silence de l'Ecriture ?

Saint Thomas de Villeneuve se posait déjà la question, au XVIe siècle : « Je me suis demandé avec perplexité pourquoi les évangélistes, qui ont si longuement traité de Jean-Baptiste et des apôtres, ont si sommairement survolé l'histoire de la Vierge Marie, qui les surpasse tous par sa vie et sa dignité... »

Oui, pourquoi ? On peut, de cette absence, donner quelques explications plausibles.

Tout d'abord, sur les trente années de sa vie commune avec Jésus, il est normal que les apôtres n'aient pas raconté grand chose, puisqu'ils n'y avaient pas assisté.

Ensuite, il ne faut pas oublier que la situation sociale des femmes, à cette époque-là, n'était pas très considérable ni très considérée ! Il n'y avait pas de femmes parmi les disciples envoyés ni parmi les évangélistes.

Ce que les apôtres ont raconté, c'est surtout ce qui comptait pour la diffusion du message : la mort et la résurrection du Christ. Là, ils s'engageaient comme témoins — et parfois au prix de leur vie. C'était bien lui, Jésus, qui était le Fils de Dieu. C'était bien lui qui avait été annoncé. D'ailleurs, quand on parle de Marie (Luc surtout), c'est bien en référence à l'Ancien Testament. L'ange de l'Annonciation emploie des formules qui étaient classiques alors, en particulier : « Le Seigneur est avec toi. »

C'est seulement par la suite qu'on s'intéressera

davantage à Marie elle-même. Quand se multiplieront les débats sur l'incarnation, on se posera des questions sur sa mère, « la Mère de Dieu », comme la définira le Concile d'Ephèse, en 431.

« Dans l'Evangile, suggère Didier Decoin, écrivain et cinéaste, elle est comme la Passante, celle qui apparaît à l'aube, au coin du récit, comme l'ouvrière sur son vélo au coin du boulevard et qu'on ne reverra qu'au crépuscule. » Tout n'est pas faux dans cette description cinématographique, mais cette absence n'est qu'apparente.

Elle ne s'impose pas, elle s'efface. Mais ce n'est pas une absence, c'est une présence. Parce que finalement, une seule chose compte pour elle, c'est que d'elle est né Jésus. Thomas de Villeneuve achève sa réflexion par cette phrase : « A la plénitude de son histoire suffit donc ce qui a été écrit sur ce thème : d'elle est né Jésus. Que vouloir de plus ? Que demander de plus sur la Vierge ? Elle est Mère de Dieu et cela suffit. »

Cette femme dont on n'avait presque rien dit, de son vivant ni dans les premiers temps de l'Eglise, on n'en finit pas, aujourd'hui, de parler d'elle. Les théologiens se sont mis à l'ouvrage, par exemple saint Anselme, saint Bernard. Les dévotions se sont multipliées. Et la prière, comme un fleuve qui va vers la mer, n'a cessé de grandir et de s'étendre. Toute une spiritualité s'est développée, avec Alain de la Roche (le Rosaire), avec Grignion de Montfort. Puis est venu le temps des apparitions, en particulier au XIXe siècle, à La Salette, à Lourdes, à Pontmain et au XXe, à Fatima et en d'autres lieux, parfois contestées. Des dogmes ont été définis : l'Immaculée conception en 1854, l'Assomption en 1950. Les fêtes mariales, au calendrier, se sont multipliées. Comme l'annonçait le Magnificat, toutes les générations l'ont proclamée bienheureuse.

Les livres sur Marie remplissent les rayons des bibliothèques. Jamais on n'a scruté avec autant de curiosité — et de piété — son mystère.

Dès le IIIe siècle — et peut-être avant ? — des images l'ont représentée, comme celle qu'on voit dans la catacombe de Priscille, à Rome.

Après de rudes débats, le culte des icônes s'est développé, surtout en Orient. Le catalogue des peintures et des sculptures où elle est représentée est un ouvrage monumental. Partout se sont élevées des églises en son honneur, à commencer par les cathédrales. Des sanctuaires — plus de 600 en France — ont vu accourir les pèlerins, et Lourdes en accueille chaque année trois ou quatre millions.

Mais ce ne sont pas seulement des églises qui portent le nom de Notre-Dame : des villages aussi, de grands ordres religieux, des congrégations féminines, des fraternités séculières.

Dans la littérature, la tradition de Rutebœuf et de Villon s'est perpétuée chez Verlaine, chez Péguy, chez Claudel, chez Léon Bloy, chez Francis Jammes.

Il est difficile de trouver un personnage à la fois plus aimé et plus populaire.

Mais ce succès n'a-t-il pas entraîné des excès ?

Des dérives, il y en a, trois en particulier, qui mènent à des impasses.

D'abord la mièvrerie. Parfois la piété ardente est

devenue une nourriture frelatée : vocabulaire incroyable, art saint-sulpicien. Comme si Marie était passée à côté de la vie ! On l'a placée dans un univers sentimental qui n'a rien à voir avec la tendresse du cœur.

Autre dérive : le triomphalisme. Reine, Majesté, on la couvre de manteaux dorés. Des cantiques chantent « l'invincible Marie dont la gloire est l'apanage ». Un évêque, au XIXᵉ siècle, l'a même présentée comme la quatrième personne de la Sainte Trinité ! Puisqu'elle est si puissante, on lui demande tout et n'importe quoi. Avec des promesses en échange de telle ou telle faveur. On la prie pour elle-même, alors que c'est elle qui prie pour les autres.

Ces deux déformations ne sont pas forcément opposées. Elles se combinent parfois et se renforcent. Elles ont ainsi provoqué ce qu'on a appelé un « reflux marial ».

D'où une troisième dérive, minimaliste. Après avoir presque effacé Jésus derrière Marie, on efface Marie derrière Jésus. Mais parler du Christ sans parler de sa Mère, c'est oublier son humanité, c'est le « mutiler », selon une expression du Père Loew.

Si l'on veut éviter les pièges de la mièvrerie, du triomphalisme et de l'oubli, il faut toujours se souvenir que, dans la Vierge, tout se rapporte au Christ et qu'elle en est le tabernacle. Dieu a planté sa tente en elle. Marie a bien compris que cette exceptionnelle vocation était aussi une exigence de silence et d'humilité. Il ne faudrait pas que, à cause de quelques abus, on oublie que Marie est l'aide la plus précieuse que nous puissions avoir pour nous rapprocher de son Fils.

Aussi Paul VI a-t-il pu parler d'une « certaine usure

des formes d'expression et de piété vis-à-vis de la Vierge Marie » et de « schémas sociaux, culturels, du passé ». Il a demandé que soient cherchées des formes d'expression plus conformes aux exigences d'une théologie et d'une spiritualité rigoureuses.

Pour moi, ce qui caractérise Marie le plus profondément, ce ne sont pas les titres et les couronnes, c'est l'absence de titres et de couronnes ; ce n'est pas le bruit, c'est le silence ; ce n'est pas la puissance, c'est le cœur, ce n'est pas l'éclat, mais la discrétion, ce n'est pas d'être reine, c'est d'être mère — et mère de Jésus Christ.

Marie, c'est cette croyante qui dit oui et qui répète ce oui tout au long de sa vie. Il ne lui fut certainement pas toujours facile d'accepter ! Elle est « l'humble servante » du Seigneur, et c'est sa joie. Elle le chante dans le Magnificat.

Le Fiat et le Magnificat : toute Marie est dans ces deux mots, sa vie et sa prière. Tout s'ordonne quand on tient ce fil.

D'abord l'humilité. « D'où te vient l'humilité, ô bienheureuse, une pareille humilité ? » disait saint Bernard dans un sermon sur l'Assomption. D'où lui venait-elle ? Luther [1] nous propose une réponse :

« Elle a laissé à Dieu ce qui était à Dieu et une seule chose la préoccupait : recevoir de son mieux l'hôte divin qui venait en elle... Elle s'est gardée de tout orgueil et de toute suffisance et sa merveilleuse humilité n'a d'égal que l'importance des grâces reçues. Mère de Dieu, Marie se voit élevée au-dessus de toute créa-

---

1. *Commentaire du Magnificat.*

ture sans se départir pour autant de sa tranquille simplicité. Il n'est pas de pauvre servante à laquelle elle ne se sente inférieure. »

C'est aussi cette humilité qu'exalte Thomas Merton[2], le bénédictin américain, lorsqu'il écrit :

« Le meilleur moyen de connaître Notre-Dame, c'est de partager son humilité, sa discrétion, sa pauvreté, son effacement et sa solitude. La connaître ainsi, c'est trouver la sagesse... Sans Marie, la connaissance même du Christ n'est que pure spéculation, mais en Marie elle devient expérience, parce qu'elle a reçu l'humilité et la pauvreté sans lesquelles on ne peut connaître le Christ. Sa sainteté est le silence dans lequel le Christ peut être entendu. »

On comprend que Jean-Paul II aime l'appeler Notre-Dame de l'humilité.

L'humilité ne va pas sans un regard d'enfant. C'est ce qui frappe Georges Bernanos lorsqu'il fait dire au curé de Torcy, dans le *Journal d'un curé de campagne*[3] :

« Le regard de la Vierge est le seul regard vraiment enfantin, le seul vrai regard d'enfant qui se soit jamais levé sur notre honte et notre malheur. Oui, mon petit, pour la bien prier, il faut sentir sur soi ce regard qui n'est pas tout à fait celui de l'indulgence — car l'indulgence ne va pas sans quelque expérience amère — mais de la tendre compassion, de la surprise douloureuse, d'on ne sait quel sentiment encore inconcevable, inexprimable, qui la fait plus jeune que le péché, plus jeune

2. *Semences de contemplation*, p. 138, éd. du Seuil.
3. Ed. Plon, 1969.

que la race dont elle est issue et, bien que Mère par la grâce, Mère des grâces, la cadette du genre humain. »

Comme dit Pierre Talec dans son livre *l'Evangile à deux voix*[4] :

« Elle qui en a le plus vu, qui en savait le plus, elle qui aurait pu en dire le plus sur Jésus, c'est elle qui en dit le moins. C'est pourquoi, dans l'Eglise, sa place est primordiale. Si elle est reine, elle est avant tout reine de ce silence qui précède toute parole. Comme l'aurore annonce le zénith. »

Maurice Zundel[5], un prêtre suisse, l'un des plus grands spirituels de ce temps, disait qu'il avait rêvé d'élever une église au silence et que cette église, c'était Marie :

« C'est elle le jardin fermé et le parvis solitaire, la nef pacifique et la lampe recueillie, l'abside triomphale et l'autel translucide. Elle est le vivant tabernacle et l'éternel reposoir, elle, enfin, la basilique du silence. »

Les mots se pressent, qui tous se ressemblent : la tendresse, la douceur, la miséricorde, la sérénité, et aussi la fidélité :

« Marie, écrivait sœur Elisabeth de la Trinité, c'est la Vierge fidèle, celle qui gardait toute chose en son cœur. Elle se tenait si petite, si recueillie en face de Dieu, dans le secret du Temple, qu'elle attirait les complaisances de la Trinité Sainte : parce qu'il a regardé la bassesse de sa servante, désormais toutes les générations t'appelleront bienheureuse... Il me semble que

---

4. Ed. Desclée de Brouwer, 1983.
5. *Notre-Dame de la Sagesse*, coll. « Foi vivante », éd. du Cerf, 1979.

l'attitude de la Vierge est le modèle des âmes intérieu-
res, des êtres que Dieu a choisis pour vivre "au-dedans,
au fond de l'abîme qui est au fond". »

Le Fiat et le Magnificat, le silence et l'humilité, la
tendresse et la fidélité, tous ces mots qui essaient de
définir Marie m'amènent à un dernier mot qui, me
semble-t-il, rassemble et résume tous les autres. Un mot
qui ne relève pas de la théologie mais qui pourrait
s'appliquer aux différents dogmes marials. Un mot qui
dessine la démarche spirituelle de Marie et, au-delà
d'elle, celle des plus grands saints, la démarche à
laquelle sont appelés tous les chrétiens : la transparence.

La transparence, c'est le contraire de la suffisance (de
l'orgueil, de la satisfaction), le contraire de l'exhibition-
nisme (du spectaculaire, des titres), le contraire du
conformisme et de tous les raidissements, le contraire
du bavardage derrière lequel on se cache, le contraire
du péché, qui est opacité de l'âme.

La transparence, c'est l'abolition des barrières et des
écrans qui rendent si difficiles toute relation avec Dieu.

Dire de Marie qu'elle est la transparence, c'est dire,
avec l'Abbé Laurentin, qu'elle est « le prototype de la
relation à Dieu ».

Dois-je apporter quelques témoignages ?

Une phrase d'abord, qui dit tout, simple et vertigi-
neuse, de Maurice Zundel encore : « Elle ne s'est même
pas aperçue d'elle-même. » S'effacer pour laisser passer le Christ. Si elle peut intercéder, si elle est un recours
et le dernier recours, c'est parce qu'elle est, d'abord,
transparence.

Ou encore :

« L'accumulation de titres et couronnes, sous lesquels depuis le Moyen Age on a pris l'habitude d'accabler sa beauté, si justifiable soit-elle logiquement, a pour effet très déplaisant de cacher sa *transparence*. La beauté de la Sainte Vierge, cette transparence qui fait qu'elle est le plus souvent presque invisible (dans ma vie spirituelle comme dans le saint Evangile). »

Ainsi parle Jean Bourgoingt[6], qui était l'un des « enfants terribles » du roman de Jean Cocteau ; il s'est converti, il est devenu trappiste en France et au Cameroun, il est passé de l'extrême éclat à l'extrême dépouillement.

Plus près de nous, Pierre Talec[7] :

« Prodigieuse, elle n'a fait aucun prodige. Elle, le oui de Dieu, n'a rien dit. Elle n'a pas parlé. Elle n'a pas fait parler d'elle. Elle n'a laissé aucun écrit. Aucun testament. Si, Jésus Christ ! Marie, Mère de Dieu : voilà le seul titre de gloire de la Vierge. Un point, c'est tout. Le Christ : la raison d'être de Marie. Le seul point de vue de sa vie... La pureté dont il est question à propos de l'Immaculée conception n'est autre que cette *transparence* à la volonté de Dieu... Il faut cette transparence de la Vierge pour accepter de croire que Dieu nous appelle à réaliser quelque chose de son dessein. »

Un poète anglais parmi les plus grands (Gérard Hopkins) :

« Son unique tâche : laisser *transparaître* à travers

---

6. *Le retour de l'enfant terrible*, p. 152, éd. Desclée de Brouwer, 1975.
7. *Les choses de la foi*, éd. du Centurion, 1973.

elle toute la gloire de Dieu », et il la compare à l'air que nous respirons.

Et si vous voulez que je cite un Pape, ce n'est pas difficile. Jean-Paul II dit, à propos du Magnificat :

« Essayons un jour, au moins une fois — et pourquoi pas aujourd'hui — de nous arrêter devant l'admirable *transparence* de ce cœur de Marie : c'est en lui et à travers lui que Dieu nous parle... C'est bien l'Esprit qui donne une telle transparence à son cœur... Dieu est aussi mystérieusement présent à toute l'histoire des hommes, des générations qui se succèdent, des peuples, capables d'y susciter, de façon merveilleuse, une transparence, une espérance, un appel à la sainteté, une purification, une conversion. »

La transparence est peut-être le secret de la sainteté.

« Nous sommes tellement opaques », lit-on dans *l'Evangile avec Dom Helder*[8]. « Le plus souvent, nous cachons le Seigneur, nous lui faisons écran. L'idéal, ce serait d'être *transparents*, translucides. Le jour où nos frères ne verraient plus notre pauvre visage, notre pauvre personne mais le Christ, le Seigneur... Ah, ce serait parfait ! »

Ainsi conçue, la prière avec Marie n'est pas un détour inutile.

« Pour vivre avec le Christ, nous avons besoin d'elle, pas seulement pour atténuer la distance qui nous sépare du Dieu invisible, mais parce qu'on reconnaît ainsi le mystère du salut (Mère de Dieu) qui en elle s'accomplit par le Fils. » (Cardinal Lustiger[9].)

---

8. Ed. du Seuil, p. 73.
9. *Premiers pas dans la prière*, éd. Nouvelle Cité.

Ecoutez Péguy [10] :

« Il y a des jours où les saints patrons ne suffisent pas. Alors il faut prendre son courage à deux mains et s'adresser directement à celle qui est au-dessus de tout.

A celle qui intercède.
La seule qui puisse parler avec l'autorité d'une mère.

S'adresser hardiment à celle qui est infiniment pure.
Parce qu'aussi elle est infiniment douce.

A celle qui est infiniment riche.
Parce qu'aussi elle est infiniment pauvre.

A celle qui est infiniment grande.
Parce qu'aussi elle est infiniment petite.
Infiniment humble.
Une jeune mère.

A celle qui est infiniment joyeuse.
Parce qu'aussi elle est infiniment douloureuse.

A celle qui est infiniment au-dessus de nous.
Parce qu'elle est infiniment parmi nous.

A celle qui est avec nous.
Parce que le Seigneur est avec elle.

A celle qui est la plus près de Dieu.
Parce qu'elle est la plus près des hommes. »

---

10. *Le Porche du mystère de la deuxième vertu*, éd. Gallimard, La Pléiade.

Je vous salue, Marie

L'*Ave Maria* ne s'est pas fait en un jour. C'est comme un galet que sans fin la marée roule sur la plage. Sa forme s'est dessinée au cours des âges, depuis le jour où Marie entendit l'annonce qu'elle enfanterait Jésus, saluée par l'ange Gabriel (Luc 1, 28).

C'est seulement vers le IVe ou le Ve siècle qu'on rapproche de cette salutation celle qu'Elisabeth adressa à Marie venue la visiter (Luc 1, 42) : « Tu es bénie entre toutes les femmes »...

Ces deux salutations conjointes constituent, à elles seules, pendant longtemps, la prière à Marie. Ce n'est d'ailleurs pas, au début, une prière fondamentale : il faut attendre la fin du XIIe siècle pour qu'à Paris et en plusieurs endroits, les fidèles soient exhortés à la réciter fréquemment.

La seconde partie — les implorations — n'apparaît guère qu'au XVIe siècle.

On a souvent discuté la version française de l'*Ave Maria*. Elle n'est certainement pas parfaite. Dans certains centres spirituels, on utilise parfois une traduction plus fidèle au grec : « Réjouis-toi, Marie, comblée de grâces, le Seigneur est avec toi. Tu es bénie entre toutes les femmes et Jésus, ton enfant, est béni... » Ce peut être une manière de renouveler l'attention — en particulier à partir de « Réjouis-toi », certainement plus correct. Mais l'essentiel est ailleurs.

Cette prière, en effet, qu'on dise « tu » ou « vous », « Je te salue » ou « Réjouis-toi », reflète le juste positionnement de Marie par rapport à Jésus. C'est à cause de lui qu'elle est bénie entre toutes les femmes. Marie est là pour Jésus, et pas le contraire.

Le *Je vous salue Marie* contient en germe toutes les autres prières à Marie. Elle dit l'essentiel en quelques mots.

Enfin, elle est, selon Péguy, comme la prière de réserve : il lui arrivait de ne pas pouvoir dire vraiment le *Notre Père* (« que votre volonté soit faite ! ») mais, soulignait-il, le plus humble pécheur peut toujours prier Marie. « Dans le mécanisme du salut, l'*Ave Maria* est le dernier secours. Avec lui on ne peut être perdu. »

A partir de l'*Ave Maria* se constituent le chapelet et le rosaire qui sont des dévotions de grande qualité, à condition qu'on ne récite pas les *Ave* de façon mécanique : le « par cœur » n'est pas forcément un cœur à cœur. Il ne manque d'ailleurs pas de suggestions pour imprégner d'Evangile le chapelet et le rosaire et pour les mettre en rapport direct avec la vie. « Les quinze mystères, dit Jean-Paul II, sont quinze fenêtres à travers lesquelles je contemple, à la lumière du Seigneur, les événements du monde. » En effet, « l'*Ave Maria* se prête aux mystères joyeux, douloureux, glorieux, aux joies et aux actions de grâces des enfants comblés et des adultes reconnaissants, au cri de la douleur qui accable, aux demandes déchirantes de ceux qui, humainement, ont perdu l'espoir [1]. » Une autre prière est directement liée au *Je vous salue Marie* :

---

1. Père Holstein, *Cahiers marials*, n° III, p. 27-28.

l'Angélus, qui s'est formé du XIIIe au XVIe siècle et qui, matin, midi et soir, rythme le travail des journées.

Mais tout cela est bien connu. Nous nous sommes attachés à présenter ici des textes moins connus, mais non moins riches, pour approfondir le mouvement intérieur du *Je vous salue Marie* et en découvrir les résonances à travers les siècles.

1. O Marie. Au début de ce choix de prières à Marie, il convenait de placer une introduction à la prière, une invitation, un appel à l'aide. Pour prier, on se met d'abord en état de prier. Aucun texte ne pouvait mieux convenir que cette prière très ancienne, antérieure même à la définition de Marie, Mère de Dieu. Elle est de saint Ephrem, docteur de l'Eglise et célèbre écrivain syriaque. Ephrem était une sorte de « moine à domicile », vocation alors fréquente et qu'on rencontre encore en Orient. Il priait, il composait des commentaires sur les livres bibliques et des hymnes, il se retirait de temps en temps au désert. Il fut ordonné diacre mais refusa toujours le sacerdoce et l'épiscopat. Il mourut en 373.

2. Mère de Dieu. C'est au Concile d'Ephèse, en 431, que fut définie la maternité divine de Marie, c'est-à-dire son titre de Mère de Dieu. De cette définition, sur laquelle tous les participants n'étaient pas d'accord, Cyrille d'Alexandrie fut l'ardent défenseur. Cela se passait dans une basilique dont on visite encore les ruines. Cyrille y prononça une homélie célèbre, souvent reprise par nos frères orthodoxes. S'agit-il du texte original ou d'une rédaction légèrement plus tardive ? On ne le sait pas bien. Peu importe, on y trouve évoqué ce que Marie a apporté, tout au long de sa vie, à l'humanité. Beaucoup d'appellations y sont employées, qui étaient certainement déjà utilisées et qui le seront beaucoup par la suite : mère des apôtres et de l'Eglise, médiatrice du salut, lumière, allégresse, temple et demeure du Christ.

3. Réjouis-toi, comblée de grâces. Les textes anciens ne nous parlent pas toujours facilement. Certaines images peuvent nous paraître surannées et ralentir ainsi notre prière. C'est pourquoi nous avons rassemblé des invocations tirées des grandes et belles litanies de Jean Chrysostome, de Romain le Mélode, de l'hymne acathiste, de Germain de Constantinople et d'André de Crète. Si nous avons pu faire ce choix, c'est parce qu'une même inspiration d'allégresse court à travers tous ces textes répartis sur trois siècles — environ du Ve au VIIIe siècle. Nous avons eu recours, pour cette recherche, à des citations contenues dans le livre du père Enard, *Réjouis-toi, Marie*[2]. Cette litanie est une manière de « respirer avec notre poumon oriental », comme l'a demandé à plusieurs reprises Jean-Paul II. On y retrouve tous les grands thèmes marials : paix, lumière, joie, source et fontaine, port et refuge, femme bénie entre toutes les femmes, mère bénie entre toutes les mères.

4. Choisie par notre Père du ciel. C'est à François d'Assise qu'on attribue unanimement cette salutation à Marie, toute imprégnée de la tradition (temple, tabernacle, mère de Dieu) et en particulier du Psaume 45, de Luc, etc. Elle est centrée sur l'incarnation.

« François aimait d'un amour indicible la Mère du Christ Jésus, car c'est elle qui nous a donné pour frère le Seigneur de toute majesté. Il inventait pour elle des

2. Ed. Nouvelle Cité, 1983.

louanges, faisait monter vers elle ses prières, lui consacrait les élans de son cœur[3]. »

5. Priez pour nous, pauvres pécheurs. Il y a deux temps dans le *Je vous salue Marie*. Celui de la louange et celui de la requête. Cette requête rejoint toute la tradition des appels à la miséricorde et à l'intercession. Elle est comme la suite de la louange. Trop souvent, en effet, nous inversons le mouvement de la prière, donnant la priorité à la demande, laquelle ne prend pourtant toute sa force et tout son sens que dans la confiance, l'allégresse et la louange qui éclatent dans la première partie. C'est dans cet esprit que le Frère Roberto, de Pétropolis, au Brésil, a écrit ce sonnet, mis en exergue par Léonardo Boff dans un chapitre de son livre consacré au *Je vous salue Marie*[4].

6. Maintenant et à l'heure de notre mort. Cette prière de Jacques Loew[5], dominicain, ancien prêtre ouvrier, fondateur de l'Ecole de la Foi (Fribourg, Suisse) conclut cette première séquence inspirée par le *Je vous salue Marie*. Elle résume l'essentiel. Elle rappelle, avec Thérèse de Lisieux que « Marie est plus mère que reine », mère de Dieu et mère des hommes. Elle nous invite à reprendre, une fois de plus, « la prière des pécheurs et des saints », maintenant et jusqu'à l'heure de notre mort.

---

3. Thomas de Celano, *Vita seconda*, éd. Franciscaines.
4. Ed. du Cerf, 1986.
5. *Mon Dieu dont je suis sûr*, éd. Fayard-Mame.

1

O Marie

Remplis ma bouche, ô Marie,
de la grâce de ta douceur.
Eclaire mon intelligence,
toi qui as été comblée de la faveur de Dieu.

Alors ma langue et mes lèvres
chanteront allègrement tes louanges
et plus particulièrement
la salutation angélique,
annonciatrice du salut du monde,
remède et protection de tous les hommes.

Daigne donc accepter que moi,
ton petit serviteur,
je te loue et te dise
et redise doucement :
« Réjouis-toi, Marie, comblée de grâces. »

Ephrem le Syrien

2

Mère de Dieu

Je te salue, Marie, Mère de Dieu,
trésor vénéré de tout l'univers,
lumière qui ne s'éteint pas,
Toi de qui est né le soleil de la justice,
sceptre de la vérité,
temple indestructible.

Je te salue, Marie,
demeure de celui qu'aucun lieu ne contient,
Toi qui as fait pousser un épi
qui ne se flétrira jamais.

Par toi les bergers ont rendu gloire à Dieu,
Par toi est béni, dans l'Evangile,
celui qui vient au nom du Seigneur.
Par toi la Trinité est glorifiée,
par toi la croix est adorée
dans l'univers entier.

Par toi exultent les cieux,
par toi l'humanité déchue a été relevée,
par toi le monde entier
a enfin connu la Vérité.
Par toi, sur toute la terre,
se sont fondées des Eglises.

Par toi le Fils unique de Dieu
a fait resplendir sa lumière
sur ceux qui étaient dans les ténèbres,
assis à l'ombre de la mort.
Par toi les apôtres ont pu annoncer
le salut aux nations.

Comment chanter dignement ta louange,
O Mère de Dieu,
par qui la terre entière tressaille d'allégresse.

Cyrille d'Alexandrie

3

Réjouis-toi, comblée de grâces

Réjouis-toi, Marie, comblée de grâces,
le Seigneur est avec toi.
Il est en toi, Celui qui est partout,
tout entier partout,
et tout entier en toi.

Tu es bénie entre toutes les femmes,
parce que, de plein gré, tu as contenu en toi
Celui que rien ne peut contenir,
parce que tu as accueilli
Celui qui remplit toutes choses.

Réjouis-toi, paix et joie du genre humain.
Réjouis-toi, rempart des fidèles
et port de ceux qui sont en péril.
Réjouis-toi, refuge des accablés,
réjouis-toi, ô Mère du Christ.

Réjouis-toi, comblée de grâces,
Réjouis-toi, mère revêtue de lumière,
Réjouis-toi, source très claire et très vivifiante,
Réjouis-toi, mère aimable et bonne,
Réjouis-toi, tourière des portes du paradis,
Réjouis-toi, allégresse de toutes les générations,
Réjouis-toi, source de l'immortelle joie,

Réjouis-toi, fontaine de l'intarissable joie.
Réjouis-toi, principe universel de salut,
Réjouis-toi, protectrice de la paix,
Réjouis-toi, médiatrice
de tout ce qui est sous le ciel.

Accueille les supplications de ton peuple,
O Vierge, mère de Dieu,
et intercède instamment auprès de ton Fils
pour qu'il nous libère des périls et des difficultés,
O toi notre espérance.

4

Choisie par notre Père du ciel

Salut, Marie, très sainte mère de Dieu,
Vous avez été choisie par notre Père du ciel,
et consacrée par lui comme un temple.
En vous fut et demeure
toute plénitude de grâce
et Celui qui est tout bien.

Salut, Palais de Dieu !
Salut, Tabernacle de Dieu !
Salut, Maison de Dieu !
Salut, Vêtement de Dieu !
Salut, Servante de Dieu !
Salut, Mère de Dieu !

François d'Assise

5

Priez pour nous, pauvres pécheurs

Dans les malheurs où je me perds, Notre Dame,
Dans mon angoisse, je crie ton nom.
A m'abandonner enfin entre tes bras je me décide
L'âme blessée, le corps rompu.

En quelque lieu que mes regards se tournent,
La séduisante image du péché
Retient dans ses tentacules de pieuvre
Mon pauvre cœur enténébré.

Je le sais bien, je ne mérite pas tes grâces.
Mais viendrais-je à toi, Notre Dame, si tu n'étais
Celle que je connais, la Mère d'infinie bonté.

Ouvre, déploie tes ailes protectrices !
Je viens, mort des maux qui me rongent,
Chercher le doux refuge des âmes pécheresses.

Frei Roberto B. Lopes

6

Maintenant et à l'heure de notre mort

Marie, j'aime vous regarder
dans votre humanité quotidienne,
jeune fille et femme, inconnue de tous,
mère attentive, épouse soigneuse,
femme semblable à toutes les femmes,
et toujours disponible quand Dieu lui demande :
« Où es-tu ? »
J'aime aussi vous voir au tympan des cathédrales,
la femme aux douze étoiles,
la Vierge des icônes au manteau de pourpre royale.
Mais, avec Thérèse de l'Enfant Jésus
s'exprimant sans mots superflus, je m'émerveille :
« Elle est plus mère que reine. »
Oui, tout le reste est fioritures
devant les trois mots : « Mère de Dieu ».
« Mère de Dieu », ces trois mots,
je n'aurai jamais trop d'heures de silence
pour les contempler.
Comme ces plantes du désert
qui attendent des jours, des années peut-être,
une pluie pour germer,
il nous faut les redire
jusqu'à ce que votre Fils les féconde en nous.

C'est pourquoi avec la Tradition entière,
je redis sans me lasser
la prière des pécheurs et des saints :
« Sainte Marie, Mère de Dieu,
priez pour nous, pauvres pécheurs,
maintenant et à l'heure de notre mort. »

Jacques Loew

Notre-Dame du Fiat
et du Magnificat

Tout commence, dans la vie de Marie, par un oui, le oui qu'elle prononce en réponse à l'ange de l'annonciation. Le oui de son engagement. Le oui de l'incarnation. « Dans ce Fiat, disait saint Bernard, nous pouvons voir une prière, expression de la foi et de l'espérance. »

7. Sois béni, Seigneur, pour le oui de Marie [1]. Cette première séquence s'adresse au Seigneur « pour le don merveilleux qu'il nous a fait ». Avec le oui de Marie s'ouvre « l'immense aventure ». A nous d'entrer, à notre tour, dans ce oui, qui est consentement au Christ et à son message.

8. Aide-nous, Marie, à tenir nos engagements [2]. Ce oui, Marie devra le redire tout au long de sa vie. C'est un oui parfois étonné, souvent douloureux, toujours difficile. Un oui qui est un appel qu'elle nous adresse à nous-mêmes pour que nous tenions nos propres engagements tout au long de notre propre vie.

---

1. Prière tirée de *Pas à pas avec Marie, le Rosaire*, de Paul Aymard, bénédictin à La Pierre-qui-Vire, éd. Droguet-Ardant, 1981.
2. Texte de l'auteur.

9. Le Seigneur a fait pour toi des merveilles. Et maintenant voici le chant même de Marie. Du Fiat au Magnificat, il n'y a pas discontinuité. L'un entraîne l'autre. Fiat, c'est dire oui, amen ! Magnificat, c'est dire louange à Dieu, alleluia ! Fiat de la disponibilité et Magnificat de la joie. A partir du Fiat, le Magnificat devient possible. Le Fiat et le Magnificat, ce sont les cadeaux de Marie à l'humanité.

Prière exacte ou prière reconstituée par saint Luc ? Peu importe. Ces phrases, Marie les avait certainement dites plus d'une fois, puisqu'elles sont reprises de l'Ancien Testament. Derrière chacune d'elles, on retrouve le Cantique d'Anne (1 Samuel 2, 1-10), avec des expressions du Deutéronome, d'Isaïe, d'Habacuc, des Chroniques, ainsi que des mots de plusieurs psaumes : « Une marqueterie de citations scripturaires », dit l'Abbé Laurentin.

La nouveauté, c'est que Marie se les approprie, ces phrases, et que, surgies du passé, elles annoncent maintenant l'avenir.

Le Magnificat est un peu comme la première annonce des béatitudes. Heureux les pauvres, les cœurs purs, les humbles. Parce que le royaume des cieux leur est ouvert. Parce que Dieu met en déroute les orgueilleux. Parce qu'il prend soin de son peuple. Parce que sa promesse va, de génération en génération, à ceux qui le reconnaissent. Parce que le Messie est là.

Le Magnificat est à la fois une prière d'action de grâces, une prière d'émerveillement (le Fiat était déjà un don merveilleux), une prière de joie, une prière de confiance, une prière de tendresse, une prière d'espérance. On ne se lasse pas de la méditer. Pourquoi ne pas utiliser, pour mieux la pénétrer, plusieurs traductions ? D'abord une traduction de type classique, d'après la Bible œcuménique et la traduction de la liturgie, puis une traduction plus familière et une traduction de poète : un texte et ses variations.

10. Oui, le Seigneur est saint, oui, le Seigneur est grand [3]. C'est bien ici le même Magnificat. Mais le langage est plus simple et plus tendre ; peut-on dire plus marial ? Si tel ou tel aspect est un peu estompé (la promesse à Abraham par exemple), l'ensemble résonne plus proche de nous. L'âme n'exalte pas le Seigneur, c'est le cœur qui bondit de joie ; « l'humble servante » devient « moi qui suis si petite » ; au lieu de « toutes les générations me proclameront bienheureuse », on dit : « Le monde entier parlera de mon bonheur. » Moins d'ampleur, moins de solennité, moins de rigueur peut-être, mais compensées par une plus grande impression de proximité (on peut remarquer, par exemple, l'emploi du présent au lieu du passé).

Il n'y a pas trahison, mais un changement de ton qui n'est pourtant pas un affaiblissement. Et le rappel par deux fois du oui de l'annonciation.

11. Sa miséricorde se prolonge d'une génération à l'autre. Voici une autre version, différente des précédentes. Autres mots : magnificence, siège, ventre, semence. Autre style, parfois plus brutal, parfois plus imagé (il a pris dans ses bras Israël, son enfant), parfois plus rugueux (Saint le nom qui est le Sien), parfois inattendu (jusques à jamais) et surtout un rythme propre à l'auteur, Paul Claudel [4].

---

3. Traduction de Michel Dubost, dans *Paroles pour Marie*, éd. Droguet-Ardant, 1978.
4. *Poésies diverses*, p. 893, La Pléiade, éd. Gallimard.

12. Prête-nous ta voix Marie, chante avec nous [5]. Avec le Magnificat tout est possible, mais tout n'est pas gagné. Le Magnificat, comme les béatitudes, il faut en vivre au fil des jours. Nous sommes encore loin d'un monde imprégné de l'amour de Dieu, où les puissants ne dirigent pas tout, où les affamés sont comblés de biens. Ce monde, il faut toujours recommencer à le construire, car Dieu, s'il nous donne toute son aide, ne le construit pas à notre place. Des pauvres, il y en a toujours parmi nous. Et des affamés. Et des opprimés. Et des torturés. Et aussi des puissants et des orgueilleux. Le Magnificat n'est pas un chant d'hier, dépassé. C'est un chant d'aujourd'hui, c'est aussi un défi.

Certains disent même un appel à la révolution. Faut-il, pour être fidèle à Dieu et à son Alliance, abattre tous les puissants, dépouiller tous les riches ? En fait, il ne s'agit pas ici, ni dans les béatitudes, de mettre les pauvres à la place des riches et les persécutés à la place des persécuteurs. On changerait simplement de pouvoir. Ce qu'exalte le Magnificat et ce qu'il nous invite à faire, ce n'est pas un transfert ou une revanche, c'est un renversement de l'échelle des valeurs, d'où sortira, par la lutte contre l'injustice, une société plus fraternelle et plus conforme à la volonté de Dieu.

Nul ne pouvait mieux exprimer cela que Dom Helder Camara, « l'évêque des pauvres », la « voix des sans voix », lui qui présentait sa *Symphonie du nouveau monde* en déclarant : « Parfois nous sommes traités d'utopistes. Malheur au monde s'il perd les utopistes. »

5. Dom Helder Camara, *Prier*, n° hors-série sur le Magnificat.

Sois béni, Seigneur,
pour le Oui qu'elle prononce

Seigneur, sois béni
pour le don merveilleux que tu nous fais
avec Marie de Nazareth.

Elle n'était rien qu'une modeste enfant
perdue dans un coin de village.
Elle ne soupçonnait aucunement le destin
que tu lui réservais,
et pour toujours.

Elle était prête cependant à recevoir
la vivante Parole que tu lui accordais,
cette Parole qui est ton Fils unique,
en qui tu t'exprimes toi-même,
et qu'elle allait porter dans sa chair
et mettre au monde pour les hommes.

Seigneur, sois béni pour le Oui qu'elle prononce,
sans rien se réserver pour elle,
sans douter un instant
que tu accomplis tes promesses ;
car toi, tu es Amour et tu ne manques jamais
à ceux qui s'abandonnent.

Et maintenant, ô Père,
accorde-nous d'entrer à notre tour
dans ce don et ce Oui,
dans cette immense aventure
où tu deviens si proche,
tellement l'un de nous,
par le visage de ton Fils,
Jésus, conçu du Saint Esprit,
né de Marie et frère de tous les hommes.
Et pour jamais.

Paul Aymard

8

Aide-nous, Marie, à tenir nos engagements

C'est à vous, Marie, que je m'adresse aujourd'hui,
parce que c'est vous qui avez prononcé
le oui décisif,
dans un grand élan de foi et d'espérance :
oui, à la demande extraordinaire
d'accueillir en vous le Seigneur,
oui, aux incompréhensions et aux découragements,
oui, aux rebuffades de votre Fils
qui voulait accomplir sa mission.
Oui, aux miracles
oui, aux aléas de la prédication,
oui, aux affronts du procès,
oui, aux tourments du chemin de croix,
oui, à l'infamie du calvaire,
oui, à l'incroyable résurrection,
oui, à saint Jean et à l'Eglise naissante.

O Notre-Dame du oui,
vous qui avez été fidèle à toutes vos promesses,
apprenez-moi à répondre toujours
aux appels de votre Fils
et à tenir, quoi qu'il m'en coûte,
tous les engagements que j'ai pris

envers ma famille, envers mes amis,
dans ma profession, dans mon église,
et pour les pauvres du Tiers et du Quart Monde.

O Notre-Dame du oui,
vous qui étiez chaque jour assidue à la prière,
aidez-moi à persévérer dans la prière,
elle seule me donnera le courage et la force
de vivre selon l'Evangile de Jésus Christ. Amen.

Le Seigneur a fait pour toi des merveilles

Mon âme exalte le Seigneur
et mon esprit est plein d'allégresse
à cause de Dieu, mon Sauveur,
parce qu'il a porté son regard
sur son humble servante.

Oui, désormais, toutes les générations
me proclameront bienheureuse,
le Tout Puissant a fait pour moi
de grandes choses : Saint est son Nom.
Son amour s'étend d'âge en âge
sur ceux qui le craignent.

Il a déployé toute la force de son bras ;
il a dispersé les orgueilleux ;
il a renversé les puissants de leurs trônes ;
il a élevé les humbles ;
il a comblé de biens les affamés
et renvoyé les riches les mains vides.

Il est venu en aide à Israël son serviteur,
se souvenant de son amour,
comme il l'avait dit à nos pères,
en faveur d'Abraham
et de sa descendance à jamais.

10

**Oui, le Seigneur est saint,
Oui, le Seigneur est grand**

Oui, le Seigneur est grand,
je veux chanter pour lui.

Lui, mon sauveur, m'a regardée,
moi qui suis si petite
et mon cœur bondit de joie.

Hier, aujourd'hui et demain,
le monde entier parlera de mon bonheur
parce qu'en moi Dieu a fait
de grandes choses.

Oui, le Seigneur est Saint :
il se donne à tous les hommes droits.

Pour eux il montre sa force :
les orgueilleux, il les fait taire,
les oppresseurs, il les renverse.

Mais les pauvres, il les relève.
Aux affamés, il donne l'abondance
et il vide les mains des riches.

Ce que nos pères avaient espéré,
il nous l'a donné.

Ce qu'il avait promis,
il l'a fait.
Dieu a montré sa tendresse aujourd'hui
et pour toujours.

Sa miséricorde se prolonge
d'une génération à l'autre

Mon âme paie au Seigneur un hommage de magnificence

Et mon esprit a tressailli de joie dans le salut de Dieu son Sauveur

Parce qu'il a abaissé les yeux sur l'humilité de Sa servante, voici que toutes les générations m'appelleront bienheureuse,

Parce que m'a fait de grandes choses Celui qui est le Puissant, et Saint est ce nom qui est le Sien.

Et Sa miséricorde se prolonge d'une génération à l'autre pour ceux-là qui Le révèrent.

Il a témoigné de la puissance de Son bras, Il a dispersé les superbes dont le cœur trouble l'esprit.

Il a déposé les puissants de leurs sièges et Il a relevé les humbles.

Il a rempli le ventre des affamés et Il a renvoyé à vide les riches

Il a pris dans Ses bras Israël Son enfant, S'étant ressouvenu de Sa miséricorde

Selon la parole qu'Il a dite à nos pères — Abraham et sa semence jusques à jamais.

Paul Claudel

Prête-nous ta voix, Marie,
chante avec nous

Mère du Christ et Mère de l'Eglise,
en nous préparant pour l'évangélisation
que nous avons à poursuivre,
à élargir et à parfaire,
nous pensons à Toi.

Plus spécialement, nous pensons à Toi
à cause de ce modèle parfait d'actions de grâces
qu'est l'hymne que tu as chanté,
quand ta cousine Elisabeth,
mère de Jean-Baptiste, t'a proclamée
la plus heureuse d'entre les femmes.

Tu ne t'es pas arrêtée à ton bonheur,
tu as pensé à l'humanité tout entière,
tu as pensé à tous.
Plus encore, tu as opté clairement
pour les pauvres,
comme ton Fils l'a fait plus tard.

Qu'y a-t-il en Toi,
qu'y a-t-il dans tes paroles, dans ta voix,
pour qu'en annonçant dans le Magnificat
la chute des puissants

et l'élévation des humbles,
le rassasiement des affamés
et la dépossession des riches,
personne n'ose Te juger subversive
ou Te considérer comme suspecte ?...

Prête-nous ta voix, chante avec nous !
Demande à ton Fils qu'en nous tous
se réalisent pleinement
les desseins du Père !

Dom Helder Camara

Notre-Dame
de la transparence

Aucune appellation ne suffit, par elle-même, à dire toute la richesse spirituelle que Marie nous apporte. Mais l'image de la transparence nous paraît être une des plus simples, une des plus pures, une des plus justes, comme nous avons tenté de le dire dans l'introduction de ce petit livre de prières.

Nous aurions pu aussi parler de Notre-Dame des béatitudes, car on peut bien dire que Marie en est une illustration privilégiée : mais « transparence » dit aussi, à sa manière, l'effacement, l'humilité, la pureté, la générosité, la tendresse de cœur, avec un accent sur l'abandon, l'oubli de soi et l'esprit d'enfance.

13. A travers toi, Dieu nous parle. A l'occasion des fêtes mariales et au cours de ses voyages-pèlerinages, Jean-Paul II n'a jamais manqué de proposer des méditations mariales ou d'adresser des prières à Marie, souvent dans l'un ou l'autre des sanctuaires mariaux du pays visité. De ces méditations, nous avons tiré trois prières qui évoquent justement la transparence de Notre-Dame, son humilité et sa fidélité.

La première prière fait le lien avec la séquence de prières précédente, car elle rapproche Notre-Dame de la transparence de Notre-Dame du Fiat et du Magnificat. Elle s'inspire d'une méditation sur la transparence du cœur de Marie, à l'occasion du centenaire de la mort de Bernadette Soubirous (de Rome, en février 1979).

La seconde, sur l'humilité de Marie, est tirée d'une homélie prononcée au sanctuaire de Notre-Dame de Nazareth, à Belem (Brésil) en 1980.

La troisième, sur la fidélité — un thème également cher à Jean-Paul II, étroitement lié à celui de la transparence — est tirée de la fin d'une homélie à Notre-Dame de Guadalupe (Mexique, 1979).

14. Cœur le plus pur qui fût jamais. On retrouve les mêmes attributs de Marie dans ces invocations de sainte Mechtilde (de Magdebourg, Allemagne), cirstercienne du XIIIe siècle. Familière de Marie, elle lui a consacré des pages pleines de tendresse, comme celle-ci où est exalté son cœur « le plus pur, le plus simple, le plus discret, le plus fidèle » (traduction simplifiée).

15. Cœur transparent comme une source. Cette fois, nous demandons à Marie de nous donner un cœur d'enfant comme le sien, c'est-à-dire toujours « pur et transparent » comme une source, simple, fidèle, doux et humble, pour témoigner de Jésus-Christ. Le Père de Grandmaison, jésuite et théologien, est mort en 1927. Sa prière, elle-même très simple et très humble, a été souvent récitée. Elle l'est moins maintenant. Pourtant, à un ou deux mots près que nous avons écartés, elle n'a pas vieilli.

16. O toi, l'air que nous respirons. Une prière étonnante, aérienne, sensible, transparente comme la mission même de Marie : « Laisser transparaître à travers elle toute la gloire de Dieu. » Gérard Manley Hopkins, né en 1844 en Angleterre, était d'une famille anglicane. Il s'est converti en 1866, à l'Eglise catholique, où il fut reçu par Newman. Il décida en 1869 d'entrer chez les jésuites. Il fut ordonné prêtre en 1877. Il enseigna en particulier le latin et le grec. Il écrivit des poèmes, dont celui-ci. Son vocabulaire est recherché, et il aime les rythmes rares. La langue devient pour lui un instrument de musique et surtout le moyen d'exprimer une vision intérieure, à partir de ce qu'il y a de plus intime en chaque être derrière les apparences. Il ne sera connu et apprécié à sa juste valeur qu'après sa mort, en 1889.

Du poème choisi, on a retenu quelques strophes, en recourant au texte original et à plusieurs traductions, en particulier celle de J.-G. Ritz, dans la collection bilingue d'Aubier-Montaigne et celle de Pierre Leyris, aux éditions du Seuil.

17. O toi, le chemin du cœur de Dieu. Encore une autre manière de dire la transparence de Marie « pur cristal, chemin du cœur de Dieu par le Fils ». L'auteur est une sœur ermite, contemporaine et anonyme. La prière est tirée de son livre intitulé *La lutte pour la contemplation* [1]. Pour cette ermite, la contemplation, loin d'être une sorte de bonheur béat, est une lutte sans cesse recommencée et, dans cette lutte, Marie est une alliée, « douceur des jours arides, sourire des jours d'espérance, joie tranquille des jours de paix ».

18. Fais de nous tes enfants. « Si vous n'êtes pas comme des enfants, proclame l'Evangile, vous n'entrerez

1. Ed. Desclée de Brouwer, 1980.

pas dans le royaume des cieux. » Pour nous aider, Marie est là, notre chemin, notre Mère. Cette prière, inspirée de Luc 1, 43, est une invitation à ce qu'on pourrait appeler l'imitation de Marie. L'imitation de sa transparence, dans l'esprit des béatitudes. Cette prière de Micezyslaw Malinski, né à Cracovie en 1923, théologien polonais, aumônier d'étudiants, professeur, est tirée de son livre *Notre pain de chaque jour* [2].

A travers toi, Dieu nous parle

Notre-Dame de la transparence,
en toi et à travers toi Dieu nous parle :
donne-nous un cœur simple,
remplis-nous d'allégresse.
O Vierge du Fiat et du Magnificat,
rends nos cœurs transparents comme le tien.
Notre-Dame de l'humilité,
cachée dans la foule, enveloppée dans le mystère,
aide-nous à porter la Bonne Nouvelle au monde
et à nous immerger dans le mystère du Christ
pour en communiquer quelque chose à nos frères.
Notre-Dame de la fidélité,
Toi qui sans cesse
« recherchais le visage du Seigneur »,
Toi qui as accepté le mystère
et qui l'as médité dans ton cœur,
Toi qui as vécu en accord avec ce que tu croyais,
Toi qui fus l'exemple même de la constance
dans l'épreuve comme dans l'exaltation,
aide-nous à tenir nos engagements,
en bons et fidèles serviteurs,
jusqu'au dernier jour de notre vie sur la terre.

Jean-Paul II

14

Cœur le plus pur qui fût jamais

Cœur le plus pur qui fût jamais,
Cœur le plus humble,
Cœur très fervent
dans son amour pour Dieu et pour le prochain,
Cœur qui sut tout garder soigneusement
de ce qui arriva
dans l'enfance et dans la jeunesse de votre Fils,
Cœur qui a tant souffert durant la passion,
Cœur très fidèle,
Cœur très assidu à la prière,
obtenez-nous, par vos mérites,
la grâce du Seigneur pour tous les hommes.
Amen.

Sainte Mechtilde

Cœur transparent comme une source

Sainte Marie, mère de Dieu,
gardez-moi un cœur d'enfant,
pur et transparent comme une source.

Donnez-moi un cœur simple
qui ne savoure pas les tristesses,
un cœur magnifique à se donner,
un cœur tendre et compatissant,
un cœur fidèle et généreux,
un cœur qui n'oublie aucun bien
et ne tient rancune d'aucun mal.

Donnez-moi un cœur doux et humble,
aimant sans demander de retour,
joyeux de s'effacer dans un autre cœur
devant votre Fils,
un cœur qu'aucune ingratitude ne ferme,
qu'aucune indifférence ne lasse,
un cœur tourmenté de rendre gloire à Jésus-Christ,
un cœur blessé de son amour
et dont la souffrance ne s'apaisera qu'au ciel.

Père Léonce de Grandmaison

16

O toi, l'air que nous respirons

Marie Immaculée, simple femme,
et cependant sa présence et sa puissance
sont plus souveraines qu'on n'en rêva jamais
pour aucune déesse.

Son unique tâche :
laisser transparaître à travers elle
toute la gloire de Dieu,
cette gloire de Dieu qui voulut la traverser,
puis se répandre loin d'elle,
seulement de cette manière.
Oui, je dis que nous sommes
enveloppés de miséricorde
tout autour de nous
comme on est enveloppé d'air.

Il en est ainsi de Marie pour nous,
Marie surtout dont le nom est miséricorde,
celle qui couvre de son manteau de merveille
tout le monde pécheur,
puisque Dieu laisse à ses prières
de dispenser sa providence.

Mais plus qu'elle ne distribue les aumônes,
elle est elle-même la douce aumône,

et les hommes sont destinés à puiser dans sa vie
comme la vie puise dans l'air.

Sois donc, ô toi mère très chère,
l'atmosphère que je respire.
Sois le monde plus heureux où diriger mes pas
loin du péché.
Demeure au-dessus de moi, autour de moi,
oppose à mon regard indocile
un ciel sans cicatrices ni courroux.
Fais vibrer mon tympan :
qu'il t'entende parler de l'amour divin,
— ô air vivant —
et de patience, et de pénitence
et de prière.
Air maternel pour le monde, air impétueux,
accueille au bercail ton enfant,
lié à toi, réfugié en ton île,
serre-le bien fort contre toi.

Gérard Manley Hopkins

O toi, le chemin du cœur de Dieu

Marie, comblée de grâces, visage où se lit
la merveilleuse beauté de la création,
Marie, pur cristal où se devinent nos noms inscrits
sur le caillou blanc,
Marie, vive flamme sur notre route au désert ;
douceur des jours arides,
sourire des jours d'épreuves,
joie tranquille des jours de paix.

Apprends-nous, ô Très-Pure,
le chemin de l'abandon radical,
le chemin du cœur de Dieu par le Fils.

Apprends-nous, Très-Douce,
la silencieuse contemplation
qui garde toutes choses en son cœur.

Apprends-nous, Toute-Belle, l'élan de l'amour
qui ne compte pas ses pas pour escorter
la Gloire du Bien-aimé.

Une sœur ermite

Fais de nous tes enfants

Sois Mère pour nous. Fais de nous tes enfants.

Fais que nous sachions accepter notre destin
comme toi, au moment de l'Annonciation,

que nous sachions supporter la pauvreté
comme toi, quand tu as enfanté à l'étable,

que nous sachions accueillir les humiliations
comme toi, quand tu as fui en Egypte,

que nous sachions demander au Seigneur
comme toi, à Cana,
quand le vin manqua à la noce,

que nous sachions souffrir
comme toi, debout auprès de la croix
où a agonisé ton Fils,

que nous sachions prier
comme tu as prié, au Cénacle,
en attendant la venue de l'Esprit Saint.

Micezyslaw Malinski

Notre-Dame
de la miséricorde

Mère du salut, refuge des pécheurs, toute bonne et toute puissante, ô Dame très clémente, souvenez-vous de moi, ayez pitié de moi : ce sont quelques-unes des invocations qu'on rencontre le plus souvent. On peut les rassembler toutes sous le titre de Notre-Dame de la miséricorde.

19. O Dame très clémente. On a écrit de saint Anselme qu'il était le « chapelain de Marie ». Il vivait au XIe siècle. Moine bénédictin, abbé du Bec, puis évêque de Cantorbéry (en Angleterre), il mourut en 1109, en laissant une œuvre importante dont l'influence fut grande sur la chrétienté de son temps, sur saint Bernard et jusqu'à la fin du Moyen Age. La prière que nous avons retenue est tirée de la première de ses « prières mariales », avec une ou deux références à la cinquième et à la septième (dont l'origine est toutefois plus ou moins sûre). Toutes sont des appels du pécheur à l'intercession de Marie, pour qu'elle prie elle-même son Fils. Toutes se réfèrent à sa miséricorde, à sa bienveillance, à la puissance de ses mérites.

20. Mon refuge et mon bonheur. D'Occident, nous passons en Orient avec Siméon Métaphraste (Xe siècle) qui était un laïc de Constantinople. Mais c'est le même repentir, le même appel à l'intercession, la même confiance et la même espérance.

21. Souvenez-vous de moi qui suis pécheur. Cette prière célèbre — appelée aussi selon son titre latin *Memorare* — est apparue au xvᵉ siècle mais elle est certainement, au moins dans son inspiration, beaucoup plus ancienne. Ainsi reprend-elle des expressions de saint Bernard dans un de ses sermons pour l'Assomption.

22. Toute bonne et toute puissante. Une prière inspire parfois d'autres prières. C'est le cas du *Souvenez-vous*, dans la postérité duquel on trouve cette prière attribuée très tôt à saint François de Sales (1567-1622). Une prière insistante, puisque Marie, selon lui, ne peut ni ne doit refuser de l'aider. Sans changer le contenu, ni le ton, ni le rythme de cette prière, nous lui avons apporté trois ou quatre modifications de style, afin qu'on puisse la dire comme si c'était une prière d'aujourd'hui : ce qu'elle est en vérité.

23. Faites de nous des apôtres. Les demandes à Marie se précisent et s'élargissent à la fois dans cette prière contemporaine. Elle est de Maximilien Kolbe, franciscain polonais. Tout dévoué à Marie immaculée, fondateur d'un mouvement marial et d'une revue largement diffusée, arrêté et envoyé au camp d'Auschwitz, il poussa le don de soi inspiré par sa spiritualité jusqu'à prendre la place d'un père de famille condamné à mort (14 août 1941). Il a été canonisé par Jean-Paul II le 10 octobre 1982. Il affirmait que Marie est la voie la plus simple et la plus facile pour se sanctifier en réalisant sa vocation chrétienne.

24. Ayez pitié de nous. L'Abbé Perreyve vivait au début du xxᵉ siècle. Longtemps malade, il a aidé beaucoup de malades à prier. Il a laissé cette prière à Marie, toute simple. Si vous la connaissez par cœur, vous y trouverez peut-être quelques petites différences pour la mettre davantage dans le langage de notre temps, sans en modifier le sens.

19

O Dame très clémente

Mère du Salut, Souveraine,
vous qui éclatez d'une si grande sainteté,
vous qui êtes si puissante et si bonne,
vous qui avez enfanté la Vie,
vous qui êtes le Temple de la douceur,
je vous présente mon cœur déchiré par ses fautes.
O Mère, veuillez le guérir
par la puissance de vos mérites
et par celle de votre prière.

O douce Dame, ô Marie,
mon âme est devenue
comme étrangère à elle-même.
Mes péchés, ô Notre-Dame,
je veux qu'ils soient connus de vous,
pour que vous puissiez les guérir.

O vous, toute puissance, et toute tendresse,
ô Marie,
de vous est sortie la Source de Miséricorde ;
exercez, je vous en prie, cette miséricorde
face à ma profonde misère.

Si je vous avoue mon péché,
me refuserez-vous votre bienveillance ?

Si ma misère est plus grande qu'il ne faut,
votre miséricorde sera-t-elle plus faible ?

O Notre-Dame, plus mes fautes sont humiliantes
devant Dieu, devant vous,
et plus elles ont besoin d'être guéries par vous.

O Dame très clémente,
priez et suppliez pour moi votre Fils,
demandez et obtenez ce qui peut m'être utile.
En vous je mets tout mon espoir.

Saint Anselme

Mon refuge et mon bonheur

O Sainte et Souveraine Mère de Dieu,
lumière de mon âme dans les ténèbres,
vous êtes mon espérance,
mon appui, ma consolation,
mon refuge et mon bonheur.
Vous qui avez donné le jour
à la vraie lumière de l'immortalité,
illuminez mon cœur.
Vous qui avez mis au monde
la source de l'immortalité,
donnez-moi la vie, car le péché c'est la mort.
Mère du Dieu miséricorde, ayez pitié de moi
et mettez le repentir dans mon cœur,
l'humilité dans mes pensées,
la réflexion dans mes raisonnements.
Rendez-moi digne jusqu'à mon dernier soupir
d'être sanctifié par ces mystères,
pour la guérison de mon corps et de mon âme.
Accordez-moi les larmes de la pénitence,
afin que je vous chante et que je vous glorifie
tous les jours de ma vie,
car vous êtes bénie pour les siècles des siècles.

Siméon Métaphraste

Souvenez-vous de moi qui suis pécheur

Souvenez-vous,
ô très miséricordieuse Vierge Marie
qu'on n'a jamais entendu dire
qu'aucun de ceux qui ont eu recours
à votre protection,
imploré votre assistance
ou réclamé vos suffrages,
ait été abandonné.

Animé d'une pareille confiance,
ô Vierge des vierges, ô ma Mère,
je viens à vous
et, gémissant sous le poids de mes péchés,
je me prosterne à vos pieds.

O Mère du Verbe incarné,
ne méprisez pas mes prières
mais écoutez-les favorablement
et daignez les exaucer.
Amen.

Prière inspirée de saint Bernard

Toute bonne et toute puissante

Ayez mémoire et souvenance, très douce Vierge,
que vous êtes ma Mère et que je suis votre fils ;
que vous êtes puissante et que je suis faible.
Je vous supplie, très douce Mère,
de me diriger dans toutes mes actions.

Ne dites pas que vous ne pouvez pas,
car votre Fils bien-aimé vous a donné tout pouvoir
au ciel comme sur la terre.
Ne dites pas que vous ne devez pas,
car vous êtes la Mère de tous les pauvres humains
et particulièrement la mienne...

Puis donc, très douce Vierge,
que vous êtes ma Mère,
et que vous êtes puissante,
comment vous excuserais-je si vous ne me soulagez
et ne me prêtez votre secours et votre assistance ?
Vous voyez, ma Mère, que vous êtes contrainte
d'acquiescer à toutes mes demandes.

Pour l'honneur et la gloire de votre Fils,
acceptez-moi comme votre enfant,
sans avoir égard à mes misères et à mes péchés.
Délivrez mon âme et mon corps de tout mal

et donnez-moi toutes vos vertus,
surtout l'humilité.
Enfin, faites-moi présent de tous les dons,
de tous les biens, de toutes les gâces
qui plaisent à la Sainte Trinité, Père,
Fils et Saint-Esprit.
Amen.

Saint François de Sales

23

Faites de nous des apôtres

O Vierge Immaculée,
élue entre toutes les femmes
pour donner au monde le Sauveur,
servante fidèle du mystère de la Rédemption,
donnez-nous de répondre à l'appel de Jésus
et de le suivre sur le chemin de la vie
qui conduit au Père.

Vierge toute sainte,
arrachez-nous au péché,
transformez nos cœurs.

Reine des Apôtres,
faites de nous des apôtres !
Qu'en vos mains toutes pures nous devenions
des instruments dociles et aimants
pour achever de purifier et de sanctifier
notre monde pécheur.

Partagez en nous le grave souci
qui pèse sur votre cœur maternel,
et aussi votre vive espérance :
qu'aucun homme ne soit perdu.

Que la création entière puisse avec vous,
O Mère de Dieu, tendresse de l'Esprit Saint,
célébrer la louange de la Miséricorde
et de l'Amour Infini.

Saint Maximilien Kolbe

24

Ayez pitié de nous

Vierge sainte, au milieu de vos joies du ciel,
n'oubliez pas les tristesses de la terre.
Jetez un regard de bonté
sur ceux qui sont dans la souffrance,
qui luttent contre les difficultés
et qui ne cessent de tremper leurs lèvres
aux amertumes de la vie !

Ayez pitié de ceux qui s'aimaient
et qui ont été séparés !

Ayez pitié de l'isolement du cœur !

Ayez pitié de la faiblesse de notre foi !

Ayez pitié de ceux
pour qui nous avons de la tendresse !

Ayez pitié de ceux qui supplient,
de ceux qui tremblent,
de ceux qui pleurent !

Donnez à tous, ô Marie, l'espérance et la paix.

Abbé Perreyve

Notre-Dame,
notre avocate

Marie est médiatrice. On ne la prie pas tant pour elle-même que pour lui demander de transmettre au Christ nos prières. Elle est en quelque sorte la fine pointe de l'humanité, dans sa rencontre avec la divinité. Elle représente un peuple qui attend la venue du Messie : peuple juif dans l'histoire, peuple du monde dans la mystique chrétienne. Notre-Dame de l'avent, historique ou liturgique, mais Notre-Dame aussi de tout avent, de tout avènement, de la grande attente de l'humanité : l'attente permanente de Dieu. Notre-Dame des transitions. Notre-Dame de la frontière. Mère de Dieu et Mère des hommes.

C'est à cause de cette situation particulière qu'elle est notre médiatrice et notre avocate. A cause de cette situation qu'elle tient une place privilégiée dans notre prière. Elle est un relais. On aurait tort de se passer de ses services.

25. O toi qui est compatissante. Dès le IVe siècle, le rôle d'intercession de Marie a été perçu par un homme comme Ephrem, qui vivait au IVe siècle, en Syrie. On ne le connaît pas beaucoup en Occident. C'était un diacre.

Il composait des hymnes très connues dans l'Eglise orientale. On l'appelait la « lyre du Saint-Esprit ». Il disait : « La prière est un miroir devant Ta face. » Il est difficile de prier Marie avec plus de simplicité et d'exactitude.

26. Ne nous refuse pas ta médiation. Dans la même ligne que la prière précédente. Mais celle-ci fait partie d'une oraison d'un office copte (Egypte). Elle s'adresse d'abord à Marie pour demander sa médiation et ensuite au Seigneur, qui a le pouvoir de nous sauver. De Marie au Seigneur, c'est le chemin de la prière.

27. Demande et supplie pour moi. Une des plus belles prières qui soient. La place de Marie « Mère de Dieu » est parfaitement située par rapport au Père, au Fils et à l'Esprit. Elle est refuge, lumière, avocate accueillante. Alors commencent les demandes, toutes relatives aux aléas du cœur : la recherche incertaine, l'agitation, le trouble des passions, les amertumes, les impuretés, les sanglots. Chaque fois une invocation est adressée à Marie, sous sa forme la plus simple et la plus vraie : ô Toi toute disponible, repos, pacificatrice, douceur, pureté et enfin allégresse. La traduction est particulièrement réussie. La fin, toujours inspirée par le rôle de Marie Mère de Dieu, revient à la théologie trinitaire du début, centrée cette fois sur le Fils, dans un mouvement qui fait penser à Teilhard de Chardin en s'élargissant à tout l'univers et aux siècles des siècles. L'auteur, Grégoire de Narek, était un moine arménien qui mourut autour de l'an 1000. Narek est le nom du monastère où il a vécu dans le travail et la prière, au sud du lac de Van, au fond de l'actuelle Turquie.

Grégoire a beaucoup lu les Pères de l'Eglise. C'est un mystique et un spirituel doué d'un grand sens poétique.

Il a écrit un ensemble de quatre-vingt-quinze prières [1]. Celle-ci est la quatre-vingtième, dont nous avons fait un extrait car toutes ces prières sont, comme il le dit lui-même, « un fleuve de prières » emporté dans un mouvement de tempête, avec de grands moments de tendresse.

28. Etoile de la mer, obtiens le pardon de nos fautes. Peut-être du Xᵉ siècle, l'*Ave maris stella* est une des plus belles hymnes latines, la plus populaire de toutes. Affectueuse et fervente. Elle faisait partie des vêpres de Marie : sans doute est-ce pour cela qu'on ne la dit plus guère — à tort. Saint Bernard, au XIIᵉ siècle, suggérait que le nom de Marie signifiait peut-être « étoile de la mer » et il ajoutait : « Qui que vous soyez, si vous comprenez que votre vie, plutôt qu'un voyage en terre ferme, est une navigation parmi les tempêtes et les tornades, sur les flots mouvants du temps, ne quittez pas la lumière de cette étoile, afin d'éviter le naufrage. » De l'*Ave maris stella*, nous vous proposons une traduction (à une strophe près), mais une traduction n'aura jamais la concision et le rythme du texte latin :

> *Ave maris stella,*
> *Dei Mater alma,*
> *atque semper virgo,*
> *felix caeli porta...*

29. Réconcilie-nous avec ton fils. Nous restons dans la même époque, avec cette prière de saint Bernard lui-même cette fois, cistercien du XIIᵉ siècle. Dans son deuxième sermon pour l'avent.

---

1. *Le livre de prières*, coll. Sources chrétiennes, traduction par Isaac Kéchichian, s.j., éd. du Cerf, 1961.

30. Toi, mon unique refuge. Henri Suso, au XIIIe siècle, est un des représentants de la mystique et de la dévotion rhénane. Pour lui, plus on se sent pécheur, plus on a besoin de Marie « médiatrice immédiate », c'est-à-dire directement et rapidement accessible.

O toi qui es compatissante

O Marie, notre médiatrice,
c'est en toi que le genre humain
met toute sa joie.
Il attend ta protection.
En toi seule il trouve son refuge.

Et voici que, moi aussi,
je viens avec toute ma ferveur,
car je n'ai pas le courage
d'approcher ton Fils :
aussi j'implore ton intercession
pour obtenir mon salut.

O toi qui es compatissante.
O toi qui es la Mère
du Dieu de miséricorde,
aie pitié de nous.

Ephrem de Syrie

26

Ne nous refuse pas ta médiation

Mère de Dieu toujours Vierge,
nous n'avons guère d'audience auprès du Sauveur,
à cause de nos nombreux péchés.
Mère toute pure, ne nous refuse pas ta médiation
auprès de Celui que tu as enfanté.
Il est, en effet, plein de miséricorde
et il a le pouvoir de nous sauver,
puisqu'il a souffert pour notre salut.

Hâte-toi, Seigneur,
et préviens-nous par ta tendresse ;
nous sommes à bout de forces.
Aide-nous, efface nos péchés
et délivre-nous à cause de ton nom.

Office copte

Demande et supplie pour moi

Je me tourne vers toi, sainte Mère de Dieu,
toi qui as été fortifiée
et protégée par le Père très-haut,
préparée et consacrée par l'Esprit
qui s'est reposé sur toi,
embellie par le Fils qui habita en toi :
accueille cette prière et présente-la à Dieu.

Ainsi par toi toujours secouru
et comblé de tes bienfaits,
ayant trouvé refuge et lumière près de toi,
je vivrai pour le Christ, ton fils et Seigneur.

Sois mon avocate, demande, supplie.
Comme je crois à ton indicible pureté,
je crois au bon accueil qui est fait à ta parole.

Il en sera ainsi,
ô Mère du Seigneur,

si dans ma recherche incertaine tu m'accueilles,
ô toi toute disponible,

si dans mon agitation tu me tranquillises,
ô toi qui es repos,

si le trouble de mes passions,
tu le changes en paix,
ô pacificatrice,

si mes amertumes, tu les adoucis,
ô toi qui es douceur,

si mes impuretés, tu les enlèves,
ô toi qui as surmonté toute corruption,

si mes sanglots, d'un seul coup tu les arrêtes,
ô allégresse.

Je te le demande,
Mère du très haut Seigneur Jésus,
Lui que tu as enfanté homme et Dieu à la fois,
Lui qui est glorifié avec le Père et l'Esprit Saint,
Lui qui est tout et en toutes choses.
A Lui soit la gloire dans les siècles des siècles.
Amen.

Grégoire de Narek

Etoile de la mer,
obtiens le pardon de nos fautes

Salut, Etoile de la mer,
Sainte Mère de Dieu,
Toi toujours vierge,
bienheureuse porte du ciel...

Brise les chaînes des pécheurs,
rends la lumière aux aveugles,
délivre-nous de nos misères,
obtiens pour nous les vrais biens.

Montre-nous que tu es mère,
et que le Christ par toi accueille nos prières
lui qui, né pour nous,
accepta d'être ton fils.

Vierge sans pareille
et douce entre toutes,
obtiens le pardon de nos fautes,
rends nos cœurs humbles et purs.

Accorde-nous une vie sainte,
rends sûre notre route
pour que, contemplant Jésus,
nous partagions sans fin ta joie.

Réconcilie-nous avec ton Fils

Notre-Dame, notre médiatrice et notre avocate,
réconcilie-nous avec ton Fils.
A lui, recommande-nous.
A lui, présente-nous.

Par la grâce que tu as eue,
par la prérogative que tu as méritée,
par la miséricorde que tu as engendrée,
fais, ô toi, qui es bénie,
que celui qui a bien voulu devenir participant
de notre faiblesse et de notre misère
nous rende aussi participants
de sa gloire et de sa béatitude
parce que tu as eu pitié de nous,
parce que tu as intercédé pour nous.

Saint Bernard

Toi, mon unique refuge

Toi qui réfléchis l'éclat de l'éternel Soleil,
trésor caché de la miséricorde infinie,
nous te saluons aujourd'hui,
nous, pécheurs repentants.
Toi, la bien-aimée Elue de Dieu,
laisse-moi, pauvre pécheur
t'exposer un peu mon cas.
Mère de toute grâce, heureusement pour nous
personne n'a besoin d'intermédiaire
pour venir à toi. N'es-tu pas,
pour tous les pauvres pécheurs que nous sommes,
la Médiatrice immédiate ?
Plus un cœur ressent son péché, plus il lui semble
qu'il doive trouver accès auprès de toi ;
plus il est misérable,
plus il a raison de s'élancer vers toi.
Toi donc, l'unique consolation
de mon cœur pécheur,
l'unique refuge
d'un homme qui se sent chargé de fautes,
sois ma gracieuse Médiatrice,
celle qui me réconcilie avec l'éternelle Sagesse.
Amen.

Henri Suso

Notre-Dame
de tous les jours

Sous ce titre, nous avons rassemblé des prières proches des préoccupations actuelles, proches de notre langage et de notre façon de vivre. On comprend alors pourquoi cette séquence est composée uniquement de textes contemporains. Chaque heure du jour, chaque expérience de vie, chaque rencontre, chaque événement peuvent être l'occasion d'une prière. Mais cela, c'est l'affaire de chacun. Nous avons seulement cherché à ouvrir quelques pistes.

31. Je t'ai vue, ma Dame à travers cent visages... Marie est présente dans l'art, en particulier dans les icônes. Mais elle est présente aussi dans la vie. Jean-Philippe Chartier nous en propose quelques exemples, choisis dans l'actualité de l'époque.

32. Notre-Dame des tâches monotones. L'auteur de cette prière, le Père Rétif[1], fils de la Charité, aujourd'hui décédé, a été membre de l'équipe du Père Michonneau, à qui il a succédé à Colombes — une paroisse célèbre de la banlieue parisienne. Il sait de quoi il parle quand il évoque la foule entassée, les tâches mono-

---

1. *Aux rythmes de la vie, la prière*, p. 99-102, éd. du Centurion, 1981.

tones, les lendemains incertains, les taudis, l'angoisse des mères. Images, encore, de Marie. Il nous a laissé un *Je vous salue Marie*, enregistré sur un petit disque, dont nous proposons ici quelques extraits.

33. Mère de nos souffrances et de nos espérances. Une salutation à Marie dans la grande tradition chrétienne (la salutation de François d'Assise, par exemple, citée plus haut). Ecrite en référence à divers moments de la vie de Marie racontés dans l'évangile, elle évoque parallèlement nos désirs d'être heureux, nos recherches, nos souffrances, nos pentecôtes, nos espérances. Cette prière se trouve dans un livre de Michel Hubaut, franciscain, intitulé *Le Christ notre bonheur - Apprendre à prier avec saint François et sainte Claire d'Assise*[2]. Un beau livre de pédagogie spirituelle.

34. Notre-Dame des béatitudes. Le cardinal Etchegaray a écrit cette prière à l'occasion d'un pèlerinage à Lourdes des Marseillais, dont il était alors l'évêque. Mais il n'est pas nécessaire, pour la faire sienne, d'aller à Lourdes... ni d'être Marseillais. Il suffit de partager ses soucis devant la domination de l'argent et la croissance de la violence. Il suffit surtout de partager sa foi dans les béatitudes que Marie nous enseigne par sa générosité, sa pureté, sa tendresse, son oui et — remarquez encore une fois le mot — sa transparence.

35. Notre-Dame du métro. Pourquoi pas ? En circulant en métro dans Paris, le Père Hubaut regarde ses voisins. Il prie pour eux. Le métro et tous les moyens de transports ne peuvent-ils pas être des temps de prière ?

2. Ed. Fayard.

36. Je te regarde et je te dis merci. De nouveau le regard, la contemplation et en même temps l'action de grâces. Prière de tous les jours, parce qu'on peut la dire tous les jours, tirée de *41 prières toutes simples* [3], par André Sève.

37. Mets ta main sur mon cœur. C'est une prière du soir. Elle date de plusieurs dizaines d'années. Elle se chante. Elle est d'une grande simplicité, d'une grande proximité, d'une grande vérité. Une prière pour la paix du cœur.

---

3. Ed. du Centurion, 1984.

31

Je t'ai vue, ma Dame,
à travers cent visages

Je t'ai vue, ma Dame, toute petite et noire,
d'écarlate vêtue au fond d'un temple d'or.
Je t'ai vue toute en or sous des dômes de pierres.
Je t'ai vue blanche et ridée,
tenant ton enfant mort.
Je t'ai vue rougeaude et joufflue,
fière campagnarde, heureuse d'être mère,
visage de bois peint dans l'église, oubliée.
Je t'ai vue trônant aux frontons des façades,
et humble, inaperçue, aux angles des maisons.
Ta tête, selon le lieu, le goût, la fortune,
se couvre de couronnes, de lin blanc, ou de rien.
Je t'ai trouvée au milieu des places,
en haut des monts,
au fond des grottes, au pied des chênes,
assise près des sources d'antiques pèlerinages.
Je t'ai reconnue victorieuse,
ou transpercée de coups.
Au sourire éclatant, ou bien baignée de larmes.
Parfois aux yeux mi-clos,
toute intérieure du regard.
Ou encore souveraine, impériale,
écrasant les démons.

Qui finira jamais de fixer ton visage ?

Pour te trouver vraiment, où faut-il regarder ?
Autour de nous ?
Oui, tu es cette Libanaise
couchée sur son fils mort.
Tu es cette femme en cris sur la place de Mai,
appelant son mari, Argentin disparu.
Tu es cette jeune maman
qu'un bébé serre au doigt.
Tu es cette Africaine à l'enfant dans le dos,
toute éclatée de rire aux beautés de la vie.
Tu es cette mère dont la fille se suicide.
Tu es cette négresse
jetée hors du tramway pour blancs.
Tu es celle qui travaille et qu'un sourire apaise.
Tu es tous ces visages, mornes,
dans le train de six heures.

Tu es tout cela, et plus encore.
Toi la mère unique de tous les sauvés.
Tu es le ciel immense
qui rend plus éclatante la lumière de ton Fils.
Ma Dame, rends-toi proche,
écoute-nous, Sainte Mère de Dieu.

Jean-Philippe Chartier

32

Notre-Dame des tâches monotones

Notre-Dame de partout,
de la foule entassée, de la foule affairée,
les mêmes bus, les mêmes trains,
les mêmes pas pressés, aux abords du marché...
Mêmes rires, mêmes peines.
Nous sommes bien tous les mêmes !
Prends nos soucis quotidiens, en guise de litanies.

Notre-Dame des tâches monotones,
Notre-Dame des lessives sans fin,
Notre-Dame des jours sans joie,
Notre-Dame des nuits sans repos,
Notre-Dame des lendemains incertains,
Notre-Dame des fins de mois sans argent,
Notre-Dame des années sans vacances...

Ménagère sans façon, voisine sans histoire,
disponible à toute heure et tenace à la tâche :
de ton Noël de mal logée
au dénuement de nos taudis,
de tes angoisses de mère
à nos tracas pour les enfants,
de tes menus services
aux gestes de notre entr'aide,

de ta vie pauvre mais joyeuse
à nos envies, à nos calculs,
je te salue Marie...

Mère de l'humanité,
tu veilles au berceau du monde qui se construit.
Cette humanité-là,
c'est encore ton Fils qui grandit...
En ton immense joie, à l'aube de Pâques,
en ton profond amour, au matin de chaque jour,
nous reconnaissons Jésus-Christ
pour notre résurrection
et notre vie. Amen.

Louis Rétif

33

Mère de nos souffrances
et de nos espérances

Je te salue Marie,
mère de tous nos désirs d'être heureux.
Tu es la terre qui dit oui à la vie.
Tu es l'humanité qui consent à Dieu.
Tu es le fruit des promesses du passé
et l'avenir de notre présent.
Tu es la foi qui accueille l'imprévisible,
tu es la foi qui accueille l'invisible.

Je te salue Marie,
mère de toutes nos recherches de ce Dieu imprévu.
Du Temple où tu le perds,
au Calvaire où il est pendu,
sa route te semble folle.
Tu es chacun de nous qui cherche Jésus,
sans bien comprendre sa vie et ses paroles.
Tu es la mère des obscurités de la foi,
toi qui conserves
tous les événements dans ton cœur,
toi qui creuses et médites tous nos « pourquoi ? »
et qui fais confiance
en l'avenir de Dieu, ton Seigneur.

Je te salue Marie,
mère de toutes nos souffrances.
Tu es la femme debout au pied de l'homme
crucifié,
tu es la mère de tous ceux qui pleurent,
l'innocence massacrée et le prisonnier torturé.

Je te salue Marie,
mère de toutes nos pentecôtes.
Tu es, avec les apôtres, l'Eglise qui prie
et accueille les dons du Saint-Esprit.

Je te salue Marie,
mère de toutes nos espérances.
Tu es l'étoile radieuse d'un peuple
en marche vers Dieu.
Tu es l'annonce de l'humanité transfigurée,
tu es la réussite de la création
que Dieu a faite pour son éternité. Amen.

Michel Hubaut

34

Notre-Dame des béatitudes

Sainte Vierge Marie,
Vous nous aidez à accueillir
le Sermon sur la Montagne,
ces Béatitudes dont on parle tant
et qu'on applique si peu,
parce qu'elles vont à contre-courant,
comme si le Gave remontait
vers les glaciers des Pyrénées.

Sainte Vierge Marie,
Vous nous aidez à devenir le Peuple de la Parole,
le Peuple de l'Eucharistie, le Peuple du message.
A quoi sert d'aller toujours plus vite,
si on ne sait pas où on va ?
A quoi sert de produire toujours davantage,
si on ne sait pas partager ?
A quoi sert aux pauvres de s'enrichir
et aux riches de s'appauvrir,
si les uns et les autres ne savent pas
vivre comme le Christ ?

Sainte Vierge Marie,
à un monde dominé par l'argent,
vous enseignez votre libéralité.

A un monde de clinquant et de mensonge,
vous montrez votre transparence.
A un monde qui ricane et qui salit,
vous offrez votre pureté.
A un monde de violence et de haine,
vous opposez votre tendresse.

Sainte Vierge Marie,
chaque jour, vous avez dû inventer
votre façon de dire « oui » à Dieu.
Chaque jour, vous avez dû recommencer
à découvrir Dieu dans votre vie,
tout autrement que vous l'aviez prévu.
Apprenez-nous
à ne pas être une page achevée d'imprimer,
mais une page chaque jour toute blanche,
où l'Esprit de Dieu
dessine les merveilles qu'il fait en nous.

Cardinal Etchegaray

35

Notre-Dame du métro

O Notre-Dame du métro,
toi dont la tendresse n'exclut aucun de tes enfants,
regarde tous ces hommes et toutes ces femmes.
Tu connais chacun d'eux par son nom,
tu connais ses blessures,
ses peurs et ses faiblesses,
ses espoirs et ses richesses.
Accompagne-les dans leur travail,
fortifie-les dans leurs efforts,
soutiens-les dans leurs épreuves,
ouvre leurs yeux et leur cœur à leurs voisins.

O Notre-Dame du métro,
ne permets pas qu'un seul se perde
dans la nuit du désespoir,
de la haine ou de la violence.
Suscite, sur le chemin de chacun,
la petite étincelle d'amour
qui le guidera vers le Royaume.

O Notre-Dame du métro,
toi qui ne te laisses rebuter par aucune difformité,
toi qui devines toujours,
derrière le masque du péché,

un fils du Père qui sommeille
et attend d'être réveillé,
délivre mes frères de route,
appelés à la vie éternelle,
de leur torpeur spirituelle.
Et sois présente à chacun de nous,
tout au long de ce jour.

Michel Hubaut

Je te regarde et je te dis merci

Marie je te regarde
et je te dis merci.
Merci d'avoir porté Jésus,
de l'avoir mis au monde, élevé,
et d'avoir accepté sa mort pour nous.

Marie je te regarde et je t'admire.
J'admire ta foi, ton silence méditatif,
ta manière de faire exactement
ce que le Seigneur attendait de toi.

Marie, je te regarde
et je te prie de m'aider
à bien comprendre Jésus,
à entendre ses appels,
à aller jusqu'au bout
de ce qu'il me demande en ce moment.

André Sève

Mets ta main sur mon cœur

O Vierge, il se fait tard,
tout s'endort sur la terre,
c'est l'heure du repos
ne m'abandonne pas !

Mets ta main sur mes yeux
comme une bonne mère.
Ferme-les doucement,
aux choses d'ici-bas.
De soucis, de chagrins,
mon âme est fatiguée.
Le travail qui m'attend
est là tout près de moi.

Mets ta main sur mon front,
arrête ma pensée.
Doux sera mon repos,
s'il est béni par toi.
Pour que demain, plus fort,
ton humble enfant s'éveille
et reprenne gaiement
le poids d'un nouveau jour.

Mets ta main sur mon cœur.
Que lui seul toujours veille,
et redise à son Dieu
un éternel amour.

Notre-Dame
de tous les pays

Dans beaucoup de pays, Marie est invoquée avec une ferveur particulière comme protectrice ou comme patronne. En voici quelques exemples, pour élargir notre horizon.

38. Notre-Dame d'Amérique. Cette prière est de Mgr Pironio, argentin. Il fut secrétaire général du Conseil des évêques d'Amérique latine (CELAM) avant de devenir cardinal, puis préfet de la Congrégation des religieux (qui supervise environ 300 000 religieux et un million de religieuses dans le monde). Cette prière, nous pouvons la dire pour l'Amérique latine. Nous pouvons aussi la faire nôtre, d'où que nous soyons, car ce n'est pas seulement dans ce continent que manquent le pain matériel, le pain de la vérité, le pain de l'amour et le pain du Seigneur.

39. Notre-Dame du monde Noir. Prière de l'homme noir qui se souvient qu'on lit dans le Cantique des Cantiques : « Je suis noire, mais je suis belle, filles de Jérusalem. » Si nous ne nous avons jamais chantée autrefois, dit Gérard Bissainthe, c'est parce que vous n'étiez pas de notre terre, mais un jour viendra...

40. Mère des assassinés. Cette prière litanique a circulé longtemps en Pologne, d'où on nous l'a adressée. Elle évoque des événements précis. Mais il n'y a pas que la Pologne où des chrétiens sont assassinés et des innocents condamnés à cause de leur foi dans l'Evangile, et des exigences de la fraternité. On pense à Mgr Romero, au Salvador. Des martyrs, il y en a toujours, de tous côtés. Et souvent même on leur vole leur martyre !

41. Notre-Dame de Lourdes. Parmi tous les sanctuaires marials du monde, Lourdes est sans doute celui qui rassemble le plus de pèlerins, venus de partout, avec leurs infirmités et leurs espérances. D'où cette prière d'un pèlerin [1].

---

1. Texte de l'auteur.

38

Notre-Dame d'Amérique

Vierge de l'Espérance, Mère des pauvres
Notre-Dame de ceux qui marchent,
écoute-nous.
Aujourd'hui nous te prions
pour l'Amérique latine.

Vierge de l'Espérance, l'Amérique se réveille.
Sur ses montagnes pointe la lumière
d'un matin nouveau.
C'est le jour du Salut qui déjà s'approche.
Sur les peuples qui marchaient dans les ténèbres
a brillé une grande lumière.
Cette lumière,
c'est le Seigneur que tu nous as donné,
il y a longtemps à Bethléem, à minuit.
Nous voulons marcher dans l'espérance.

Mère des pauvres :
il y a beaucoup de misère entre nous.
Il manque le pain matériel
dans beaucoup de maisons.
Il manque le pain de la vérité
dans beaucoup d'esprits.

Il manque le pain de l'amour
chez beaucoup d'hommes.
Il manque le pain du Seigneur
dans beaucoup de peuples.
Tu connais la pauvreté, tu l'as vécue.

Donne-nous une âme de pauvres
pour être heureux.
Mais soulage la misère des corps,
et arrache du cœur de tant d'hommes
l'égoïsme qui appauvrit.

Notre-Dame de ceux qui marchent,
Voici le peuple de Dieu en Amérique latine.
Voici l'Eglise qui est en marche vers la Pâques.

Que les Evêques aient un cœur de père.
Que les prêtres soient les amis de Dieu
pour les hommes.
Que les religieux montrent la joie anticipée
du Royaume des cieux.
Que les laïcs soient, devant le monde,
témoins du Seigneur ressuscité.
Et que tous marchent ensemble
avec tous les hommes,
partageant leurs angoisses et leur espérance.

Que les peuples d'Amérique latine
avancent vers le progrès
par les chemins de la paix dans la justice.

Notre-Dame d'Amérique :
illumine notre espérance,
soulage notre pauvreté,
marche avec nous vers le Père, Amen.

Cardinal Pironio

39

Notre-Dame du monde Noir

Notre-Dame du monde Noir,
dans la nuit de nos espérances
faites venir de l'Orient
le jour brillant de votre Fils.

Notre-Dame du monde Noir,
nous ne vous avons jamais chantée autrefois :
jamais un chant de nos entrailles,
des entrailles de notre terre,
de la terre noire d'Afrique
ou de terre noire d'Amérique,
ne vous a dit merci.
Jamais un chant de nos entrailles
ne vous a chantée, toute Noire.
Mais tout le chant de notre terre
cherche la grâce de votre nom.
Et dans le déchirement,
Notre-Dame du monde Noir,
Et dans l'écartèlement,
Notre-Dame du monde Noir,
le désespoir de nos appels,
enfantera un jour son Christ,
un Christ fait chair en notre chair,
en nos chairs sombres d'hommes noirs.

Et ce jour-là,
tout pleins de vous, Notre-Dame du monde Noir,
tout le rythme de nos chants
et tout le rythme de nos danses
seront exultation dans l'Esprit.

Notre-Dame du monde noir,
du monde rouge, de tous les mondes,
du monde jaune, du monde blanc,
Notre-Dame de tous les hommes
notre terre alors vous chantera.

Gérard Bissainthe

40

Mère des assassinés

Mère des bernés
Mère des trahis
Mère des hommes arrêtés la nuit
Mère des internés
Mère des emprisonnés
Mère des passés à tabac
Mère des terrifiés
Mère des assassinés
Mère des mineurs
Mère des travailleurs des chantiers navals
Mère des ouvriers
Mère des étudiants
Mère des innocents condamnés
Mère de ceux qui ne peuvent mentir
Mère de ceux qu'on ne peut acheter
Mère de ceux qu'on ne peut briser
Mère des désespérés
Mère des orphelins

accorde-nous le don de vivre
dans la vérité et la liberté. Amen.

41

Notre-Dame de Lourdes

Notre-Dame de Lourdes,
Notre-Dame des pics et des montagnes,
Notre-Dame des sources et des torrents,
prends pitié de nous
qui sommes venus en pèlerinage
pour te prier.

Notre-Dame des affligés,
Notre-Dame des malades et des handicapés,
nous voici devant toi comme des mendiants,
avec toutes nos infirmités,
avec toutes nos pauvretés,
accorde-nous ta miséricorde.

Notre-Dame de la consolation,
Notre-Dame de la tendresse,
apaise nos soucis,
et guéris nos blessures,
remplis-nous de patience
et d'espérance.

Notre-Dame du temps qui passe :
au moment de notre dernier passage,
et du dernier soupir,
et du dernier regard,

souviens-toi de notre pèlerinage
au bord du Gave.

Et conduis-nous
dans l'éblouissement
de la lumière
éternelle.

Notre-Dame
de l'espérance

Sous ce titre sont rassemblées quelques prières à des intentions pour lesquelles Marie est particulièrement invoquée — sans doute parce qu'elles requièrent une exceptionnelle tendresse.

42. Notre-Dame de nos enfants. Des parents ont écrit cette prière qui a été publiée dans *La prière au foyer*[1].

43. Notre-Dame des malades. Les malades sont nombreux et souffrent de divers maux. Ce texte[2] énumère ici toute une série de situations de détresse physique et morale. Il y en a d'autres, que vous pouvez ajouter.

44. Notre-Dame de l'accueil. Ici, Jean Vanier[3] pense surtout aux handicapés mentaux qu'il accueille, avec ses amis, dans les foyers de l'Arche, des foyers qui veulent être surtout des lieux de tendresse. La prière n'est pas

---

1. « 1. La prière du couple », Equipes Notre-Dame, Paris. Texte repris des *Cahiers marials*, n° 95, nov. 1974.
2. Texte cité par J. Feder dans *Prières du jour*, éd. Cerf-Centurion-D.D.B.-Droguet et Ardant.
3. Extraits de la prière publiée dans *Oses-tu croire à l'Amour ?*, L'Arche, Trosly-Breuil.

une prière pour les pauvres, mais pour nous-mêmes qui ne savons pas toujours les accueillir. Les pauvres ne sont pas seulement ceux qui manquent d'argent, ce sont aussi ceux qui manquent d'amour et ceux qui ne savent pas être attentifs à cet appel !

45. Mère de l'Eglise.   Pour tous ceux qui composent l'Eglise. Pour tout le peuple de Dieu. Jean-Paul II invoque souvent Marie comme « Mère de l'Eglise ». Ce fut le cas, en particulier, à Paris, en mai 1980, lorsqu'il se rendit à la chapelle de la rue du Bac (Médaille Miraculeuse). Ce fut aussi le cas lors d'autres voyages. De là ce texte dont les origines sont diverses, ce qui accentue encore son caractère universel.

46. Notre-Dame de l'unité.   Une des grandes préoccupations de Jean-Paul II a toujours été de « rencontrer de manière toujours plus vive nos frères dans la foi, auxquels nous unissent tant de choses, bien qu'il y en ait qui nous divisent ». Ce qui suppose, dit-il, la connaissance et le respect réciproques, l'amour, la collaboration dans divers domaines. Cette prière prolonge, d'une certaine manière, la prière précédente, elle l'élargit. Ce sont des homélies prononcées à Jasna Gora (Czestochowa) et à Ephèse, en 1979, qui ont fourni les mots et le sens de cette prière.

47. Mère de la paix.   Toujours Jean-Paul II, à l'occasion d'un 1er janvier — journée de prière universelle pour la paix et fête de la Mère de Dieu.

48. Marie toujours devant.   Cette méditation — prière du cardinal Etchegaray — rassemble toutes les intentions précédentes dans une grande vision de l'Eglise et du monde, depuis la Création jusqu'au Jugement dernier.

42

Notre-Dame de nos enfants

O Marie,
Vous qui avez présenté votre Fils au Temple,
nous vous présentons ces enfants
que Dieu nous a donnés.
Par la grâce de leur baptême,
vous êtes devenue leur Mère :
aussi, nous les confions à votre tendresse
et à votre vigilance.

Donnez-leur la santé ; gardez-les du péché.
Et, s'ils venaient à s'égarer,
soutenez-les en votre amour
pour qu'ils obtiennent le pardon
et renaissent à la vie.

Et nous, leurs parents,
aidez-nous dans notre tâche auprès d'eux.
Donnez-nous votre lumière et votre amour.
Apprenez-nous à ouvrir
leurs yeux à tout ce qui est beau,
leur esprit à tout ce qui est vrai,
leur cœur à tout ce qui est bien.

Apprenez-nous à les écouter et à les aider
pour qu'ils prennent leurs responsabilités.

Donnez-nous de savoir nous effacer
quand pour eux viendra l'heure
de prendre en main leur vie.

Et quand nous ne serons plus là
pour les entourer de notre affection,
soyez près d'eux
pour les couvrir de votre regard maternel,
pour les garder à travers la vie,
afin qu'un jour nous soyons tous réunis
dans la maison du Père. Amen.

43

Notre-Dame des malades

O Marie,
soyez au chevet de tous les malades du monde :
ceux qui, à cette heure,
ont perdu connaissance et vont mourir,
ceux qui viennent de commencer leur agonie,
ceux qui ont abandonné tout espoir de guérison,
ceux qui crient et pleurent de douleur,
ceux qui ne parviennent pas à se soigner,
faute d'argent.

O Marie,
soyez présente à ceux qui voudraient tant marcher
et qui doivent rester immobiles ;
ceux qui devraient se coucher
et que la misère force à travailler ;
ceux qui cherchent en vain, dans leur lit,
une position moins douloureuse ;
ceux qui passent de longues nuits
à ne pouvoir dormir.

O Marie,
assistez ceux que torturent les soucis
d'une famille en détresse ;
ceux qui doivent renoncer

à leurs plus chers projets,
ceux, surtout, qui ne croient pas
à une vie meilleure ;
ceux qui se révoltent et maudissent Dieu ;
ceux qui ne savent pas que le Christ
a souffert comme eux, et pour eux. Amen.

Rabboni

Notre-Dame de l'accueil

O Marie, donne-nous des cœurs attentifs,
humbles et doux
pour accueillir avec tendresse et compassion
tous les pauvres que tu envoies vers nous.

Donne-nous des cœurs pleins de miséricorde
pour les aimer, les servir,
éteindre toute discorde
et voir en nos frères souffrants et brisés
la présence de Jésus vivant.

Seigneur, bénis-nous de la main de tes pauvres.
Seigneur, souris-nous
dans le regard de tes pauvres.
Seigneur, reçois-nous un jour
dans l'heureuse compagnie de tes pauvres. Amen !

Jean Vanier

45

O Mère de l'Eglise

Fais que l'Eglise vive dans la liberté
et dans la paix
pour accomplir sa mission de salut,
et qu'à cette fin surgisse en elle
une nouvelle maturité de foi et d'unité intérieure.

Nous te prions pour que, grâce à l'Esprit Saint,
la foi s'approfondisse et s'affermisse
dans tout le peuple chrétien,
pour que la communion l'emporte
sur tous les germes de division,
pour que l'espérance soit ravivée
chez ceux qui se découragent.

Nous te prions pour le peuple de ce pays,
pour ses évêques et ses prêtres,
ses religieuses et ses religieux,
pour les pères et mères de famille,
pour les enfants et les jeunes,
pour les hommes et les femmes du troisième âge.

Nous te prions spécialement
pour ceux qui souffrent d'une détresse particulière,
physique ou morale,

pour ceux qui connaissent
la tentation de l'infidélité,
pour ceux qui sont ébranlés par le doute
et l'incroyance,
pour ceux aussi qui sont persécutés
à cause de leur foi.

Nous te prions pour les vocations sacerdotales
et religieuses,
pour la vitalité de l'Eglise en ce pays,
sur place et dans l'entr'aide missionnaire.

Réconcilie ceux qui sont dans le péché,
guéris ceux qui sont dans la peine,
relève ceux qui ont perdu l'espérance et la foi.
A ceux qui luttent dans le doute,
montre la lumière du Christ. Amen.

Jean-Paul II

46

Notre-Dame de l'unité

Aide-nous dans notre effort
pour aller à la rencontre de tous les hommes
et de tous les peuples qui cherchent Dieu
et qui veulent le servir.

Sous ton regard maternel
nous sommes prêts à reconnaître
nos torts réciproques, nos égoïsmes et nos lenteurs.
Tu nous as donné ton Fils unique,
et voici que nous te le présentons divisé !

O Toi qui vois notre malaise et notre souffrance,
nous prenons devant Toi l'engagement
de ne pas demeurer tranquilles
tant que le terme du chemin ne sera pas atteint.

Guide-nous d'une main douce et ferme
vers une compréhension fraternelle,
totale et durable,
afin que tous nous soyons un
et que le monde croie. Amen.

Jean-Paul II

47

Mère de la paix

O Mère, tu sais ce que signifie
de serrer dans ses bras
le corps de son fils mort.

Epargne à toutes les mères de cette terre
la mort de leurs enfants,
les tourments, l'esclavage,
les destructions de la guerre,
les persécutions,
les camps de concentration et les prisons.

Conserve à toutes les mères la joie
de donner naissance à des enfants,
la joie de voir la vie se développer en eux.
Au nom de cette vie,
au nom de la naissance du Seigneur,
implore avec nous la paix
et la justice dans ce monde.

Mère de la paix, nous t'en prions :
sois avec nous à chaque instant.
Fais que la paix règne dans le monde. Amen.

Jean-Paul II

48

Marie toujours devant

Regardons-la :
elle a toujours pris les devants,
elle a toujours devancé l'Eglise et l'humanité.

Liée à l'existence du Christ,
elle l'a précédé sur terre
en devenant sa mère.

Elle nous a précédés au pied de la Croix
où du cœur transpercé de son Fils
est née l'Eglise.

Elle nous précède enfin au ciel
où, en regardant son destin bienheureux,
nous lisons notre propre destin.

Elle est le prototype,
la maquette de l'Eglise de demain.

Elle est l'image anticipée,
l'icône merveilleuse de l'humanité réconciliée.

Elle résume en elle toute la trajectoire du monde,
depuis la Création jusqu'au Jugement dernier.

Cardinal Etchegaray

Litanies à Marie

La litanie est l'une des formes privilégiées de la prière à Marie. Peut-être à cause de sa simplicité, qui correspond à la simplicité même de Marie. Peut-être aussi à cause de la relation affective, soutenue, qu'une litanie établit aisément avec la personne qui en fait l'objet. Mais surtout parce que l'on n'aura jamais fini d'explorer ce « trésor toujours ouvert, cause de joies quotidiennes », comme dit Jean Guitton, qui est le cœur de Marie.

La litanie est davantage, en effet, un embrasement du cœur, qu'une démarche logique et intellectuelle. Elle suscite l'imagination lyrique, libérée des contraintes poétiques habituelles. Très tôt la première partie du *Je vous salue Marie*, si dense, fut l'occasion de développements sur la Vierge, sur ses qualités, sur son rôle, sur sa mission. Très tôt s'accumulèrent des images comme celles qu'on trouve dans les textes de notre première séquence et dans ceux qui la suivent immédiatement : source et lumière, havre et port, secours et refuge, porte du Seigneur et pont de la terre vers le ciel.

49. Soutien ferme de la foi. La première litanie que nous proposons ici est tirée de ce qu'on appelle *l'hymne* *acathiste* (c'est-à-dire l'hymne, très longue, qu'on récitait « sans s'asseoir »).

L'auteur est incertain et la date aussi, qui oscille entre le VIᵉ et le VIIIᵉ siècle. Vingt-quatre strophes la composent, douze consacrées à l'enfance de Jésus et douze aux mystères de l'incarnation. La 7ᵉ strophe évoque les bergers qui accourent à la grotte de la Nativité et se continue par une litanie de *Réjouis-toi*, que nous reproduisons ici. On remarquera cette expression « Réjouis-toi », traduite du même mot grec que « Je vous salue » et plus conforme au sens original (justifié d'ailleurs ici par la première invocation de toute l'hymne : « Réjouis-toi, toi par qui la joie resplendira »). On remarquera également l'expression « épouse inépousée », qui est une manière de dire la maternité particulière de Marie, quelques dizaines d'années après le Concile qui lui a donné le titre de Mère de Dieu. Dans toute cette hymne, Marie n'est pas exaltée pour elle-même, mais par rapport au Christ incarné.

50. Joie de l'univers.   C'est par la même expression « Réjouis-toi » que s'ouvre la prière extraite de la litanie byzantine que nous avons intitulée : « Joie de l'univers ».

51. Port dans le naufrage.   Prière liturgique qui date du XIIIᵉ siècle. Son auteur, Adam de Perseigne [1], était un esprit solide, un excellent théologien, bref un savant, mais qui avait un cœur d'enfant.

52. Lumière et tendresse.   Nous entrons dans l'époque contemporaine. Cette litanie nous a été envoyée un jour

---

1. D'après la traduction de Dom Robert Thomas, dans *La tradition cistercienne*, éd. C.L.D., 1979.

par un couple. Elle est renouvelée et modernisée dans son expression, tout en allant dans le sens même des invocations habituelles.

53. Marie, au cœur de nos vies. Parcourant la vie de Marie depuis la Nativité jusqu'à la Pentecôte, l'auteur montre tout ce que cette vie signifie pour nous. On peut naturellement inventer un refrain ou, en cas d'utilisation collective, trouver un chant pour séparer les strophes, dites lentement. Ce texte est tiré d'un livre d'Albéric de Palmaert, *Credo pour aujourd'hui* [2].

54. Entre les femmes, tu es bénie. La dernière phrase de cette litanie est le dernier titre de ce recueil. Il rappelle le *Je vous salue Marie*, qui est l'inspiration commune à toutes les prières choisies. Marie est bénie entre toutes les femmes. Ce dernier texte est très moderne dans son écriture. Mais, dit Jean Debruynne [3], ce sont « des mots d'amour ».

---

2. Ed. Fleurus.
3. *Prier*, hors-série Marie, p. 23-24, 1982.

Soutien ferme de la foi

Réjouis-toi,
mère de l'agneau et du pasteur.

Réjouis-toi,
bercail des brebis spirituelles.

Réjouis-toi,
défense contre les fauves invisibles.

Réjouis-toi,
clef des portes du paradis.

Réjouis-toi,
allégresse des cieux avec la terre.

Réjouis-toi,
chœur de la terre avec les cieux.

Réjouis-toi,
bouche intarissable des apôtres.

Réjouis-toi,
constance invincible des martyrs.

Réjouis-toi,
soutien ferme de la foi.

Réjouis-toi,
preuve éclatante de la grâce.

Réjouis-toi,
par toi l'enfer est dépouillé.

Réjouis-toi,
par toi nous revêtons la gloire.

Réjouis-toi,
épouse inépousée !

Hymne acathiste

Joie de l'univers

Réjouis-toi, Marie,
fontaine de vie éternelle
joie de l'univers
espérance des croyants
lampe toujours allumée
tabernacle de la lumière
abîme de merveilles
porte du Seigneur
creuset de la nature humaine
atelier d'innombrables merveilles
port allant du monde vers Dieu
havre sans tempête
espérance des désespérés
demeure du Dieu infini.

Litanie byzantine

51

Port dans le naufrage

O Marie,
tu es l'ancre au milieu du ballottement des flots,
le port dans le naufrage,
le secours dans la tribulation,
la consolation dans la douleur.

Tu es le soulagement dans l'angoisse,
le secours dans les moments où tout va bien,
la juste modération quand ça va trop bien,
la joie dans l'attente,
le rafraîchissement dans le labeur.

Tout ce que je peux balbutier de tes louanges
ne parvient pas à être digne de toi,
ô toi qui es digne de toute louange !
Quand même je parlerais
toutes les langues,
quand même je m'épuiserais totalement,
non, ce serait encore trop peu ! Amen.

Adam de Perseigne

Lumière et tendresse

Toi qui m'as aimé
dès l'aube de mon premier regard,

toi qui as veillé sur moi
quand il faisait si noir,
dernière tendresse qui me restait
et dernier lien, si pur,
avec Celui qui est la Vie,
dernier reste d'espérance
quand tout en moi s'est éteint ;

toi qui es fidèle jusqu'au bout,
visage pur, innocent, incandescent,
joie du cœur,
consolation indicible,
lumière de mes instants,
totale compassion,
geste tendre,
de ta main douce complètement donnée ;
tu as pris ma souffrance sur ton cœur,
et ta tendresse a envahi le mien...

Qui saura dire comment tu m'as aimé ?
Qui saura dire comment je t'aime ?

Marie, je voudrais
que le plus humble de mes gestes,
la plus ordinaire de mes actions
pour ceux qui m'entourent
et ceux qui sont loin,
que ma dernière pensée dans ce jour,
que mon dernier soupir dans cette vie
soient un cri d'amour pour ton nom
et m'unissent à Jésus, ton Fils. Amen.

53

Marie au cœur de nos vies

Marie, au cœur du monde,
au commencement des temps,
à l'aube de nos vies.

Marie, dans la nuit de Bethléem,
qui donne la terre à Dieu.

Marie, tendresse et fidélité,
tenant la Vie dans nos mains humaines.

Marie, douce et fragile,
la force et la lumière,
pauvre et humble,
la gloire et la richesse.

Marie, au pied de la croix,
mère et fille, seule,
transpercée et radieuse,
humaine dans ta souffrance,
divine dans ton visage.

Marie, mère de notre sauveur,
salvatrice toi-même pour notre monde en déroute.

Marie, fille et mère de notre humanité,
au pied de notre croix.

Marie, notre force et notre lumière,
notre gloire et notre richesse.

Marie, au matin de Pâques
discrète et presqu'absente.
Marie des jours d'allégresse,
heureuse et oubliée.

Marie, notre joie, notre sourire,
main tendue au pécheur,
secours des affligés,
Marie - pardon.

Marie, au soir de Pentecôte,
rempart des apôtres, notre soutien
dans la tourmente de nos incertitudes.

Marie, notre espérance,
qui donne chaque jour au monde
notre divinité. Amen.

Albéric de Palmaert.

Entre les femmes, tu es bénie

Marie douce et Marie tendre
ne te fais pas trop attendre.

Marie d'attente, Marie d'accueil
tiens-nous de guet sur notre seuil.

Marie silence et Marie sans bruit
donne aux tendresses un goût garanti.

Marie des rues, Marie des places
retiens pour nous le temps qui passe.

Marie minuit, Marie midi
fais-nous entendre ce que tu dis.

Marie des pauvres et des apôtres
donne-nous des mots pour écouter l'autre.

Marie des simples et des petits
donne à nos joies de l'appétit.

Marie de chair et Marie d'esprit
entre les femmes tu es bénie.

Jean Debruynne

Table des prières

NOTRE-DAME DE LA TRANSPARENCE

NOTRE-DAME DE LA MISÉRICORDE

NOTRE-DAME DE L'ESPÉRANCE

LITANIES À MARIE

Table des matières

3ᵉ édition - 10ᵉ mille

Achevé d'imprimer le 20 novembre 1987
dans les ateliers de Normandie Impression S.A. à Alençon (Orne)
pour le compte des éditions Desclée de Brouwer
Nᵒ d'éditeur : 87-97 — Dépôt légal : novembre 1987

Imprimé en France